UNE PART
DE MA VIE

ŒUVRES DE BERNARD-MARIE KOLTÈS

LA FUITE À CHEVAL TRÈS LOIN DANS LA VILLE, *roman*, 1984.

QUAI OUEST, *suivi de* UN HANGAR, À L'OUEST, *théâtre*, 1985.

DANS LA SOLITUDE DES CHAMPS DE COTON, *théâtre*, 1986.

LE CONTE D'HIVER (*traduction de la pièce de William Shakespeare*), *théâtre*, 1988.

LA NUIT JUSTE AVANT LES FORÊTS, 1988.

LE RETOUR AU DÉSERT, *suivi de* CENT ANS D'HISTOIRE DE LA FAMILLE SERPENOISE, *théâtre*, 1988.

COMBAT DE NÈGRE ET DE CHIENS, *théâtre*, 1983-1989.

ROBERTO ZUCCO, *suivi de* TABATABA *et* COCO, *théâtre*, 1990.

PROLOGUE ET AUTRES TEXTES, 1991.

SALLINGER, *théâtre*, 1995.

LES AMERTUMES, *théâtre*, 1998.

L'HÉRITAGE, *théâtre*, 1998.

UNE PART DE MA VIE. Entretiens (1983-1989), 1999 ("double", n° 69).

PROCÈS IVRE, *théâtre*, 2001.

LA MARCHE, *théâtre*, 2003.

LE JOUR DES MEURTRES DANS L'HISTOIRE D'HAMLET, *théâtre*, 2006.

DES VOIX SOURDES, *théâtre*, 2008.

RÉCITS MORTS. UN RÊVE ÉGARÉ, *théâtre*, 2008.

NICKEL STUFF, *scénario*, 2009.

LETTRES, 2009.

BERNARD-MARIE KOLTÈS

UNE PART
DE MA VIE

Entretiens (1983-1989)

LES ÉDITIONS DE MINUIT

© 1999/2010 by LES ÉDITIONS DE MINUIT
www.leseditionsdeminuit.fr

ISBN 978-2-7073-2134-3

Voici l'ensemble des entretiens accordés par Bernard-Marie Koltès à la presse écrite. Si ce recueil d'entretiens n'est pas un livre de Koltès, il lui appartient bien, cependant, pour en avoir relu et corrigé bon nombre d'entre eux. Ils sont bien sa voix, son humeur. À ce titre, nous nous garderons ici de tout commentaire.

Passé les rapports complexes qu'il entretint avec le théâtre et dont il y aurait tant à dire, il faut bien noter cependant comment, ainsi rassemblés, ces entretiens constituent une autobiographie involontaire de Koltès ; autobiographie à l'évidence lacunaire, volontairement lacunaire et intéressante comme telle.

On peut rêver à une biographie de Koltès, à son intérêt s'agissant de lui et, le lisant attentivement, n'y a-t-il pas comme une incongruité ? Faulkner qu'il admirait tant écrivait : « C'est mon ambition d'être en tant qu'individu, aboli, rayé de l'Histoire ; de laisser celle-ci intacte, sans reste, sinon des livres imprimés ; il y a trente ans j'aurais dû être assez clairvoyant pour ne pas les signer, comme certains élisabéthains. Mon but, mon épitaphe : il a fait des livres et il est mort. »

Alain Prique

Nos vifs remerciements à Annie Brunschwig, Anne-Marie Dissais et Gonzague Phelip, pour leur généreuse collaboration.

ENTRETIEN AVEC JEAN-PIERRE HAN [1]

La première fois que je suis allé au théâtre, c'était très tard, j'avais vingt-deux ans. J'ai vu une pièce qui m'a beaucoup ému, une pièce que j'ai oubliée mais avec une grande actrice, Maria Casarès. Elle m'avait beaucoup impressionné, et tout de suite je me suis mis à écrire. J'ai commencé par une pièce d'après *Enfance* de Gorki et je l'ai montée avec des copains. C'était à Strasbourg ; Hubert Gignoux l'a vue [2], il m'a proposé d'entrer au TNS [3]. Là, j'ai continué à écrire des pièces et à les monter avec des élèves comédiens [4]. J'ai continué comme cela pendant huit ans, sans qu'aucune soit jouée dans un vrai théâtre. La première qu'on a montée professionnellement, Yves Ferry et moi, c'était *La Nuit juste avant les forêts* à Avignon en 1977. Ça avait mis dix ans, j'avais écrit une dizaine de pièces.

*

1. Ce texte a été revu par Bernard-Marie Koltès.
2. Hubert Gignoux n'était en réalité pas allé voir la pièce.
3. Bernard-Marie Koltès avait sollicité son entrée à l'école du TNS dès 1969.
4. Les premières pièces avaient été montées avec des amis qui n'avaient pour la plupart jamais joué et qui formèrent le Théâtre du Quai à Strasbourg. C'est plus tard que des élèves comédiens entrèrent dans la troupe.

Il y a une coupure très nette entre *La Nuit juste avant les forêts* et la pièce qui précède. Il y a d'abord beaucoup de temps, trois ans ; trois ans pendant lesquels je n'ai rien fait et où je pensais ne plus jamais écrire[5]. Et quand je me suis mis à écrire, c'était complètement différent, c'était un autre travail. Les anciennes pièces, je ne les aime plus, je n'ai plus envie de les voir montées. J'avais l'impression d'écrire du théâtre d'avant-garde ; en fait, elles étaient surtout informelles, très élémentaires. Plus ça va, plus j'ai envie d'écrire des pièces dont la forme soit de plus en plus rigoureuse, précise.

Avant, je croyais que notre métier, c'était d'inventer des choses ; maintenant, je crois que c'est de bien les raconter. Une réalité aussi complète, parfaite et cohérente que celle que l'on découvre parfois au hasard des voyages ou de l'existence, aucune imagination ne peut l'inventer. Je n'ai plus le goût d'inventer des lieux abstraits, des situations abstraites. J'ai le sentiment qu'écrire pour le théâtre, « fabriquer du langage », c'est un travail manuel, un métier où la matière est la plus forte, où la matière ne se plie à ce que l'on veut que lorsque l'on devine de quoi elle est faite, comment elle exige d'être maniée. L'imagination, l'intuition, ne servent qu'à bien comprendre ce que l'on veut raconter et ce dont on dispose pour le faire. Après, ce ne sont plus que des contraintes (écrire dans la forme la plus simple, la plus compréhensible, c'est-à-dire la plus conforme à notre épo-

5. Il y a en fait moins de deux années, au cours desquelles il continue à écrire, en particulier *La Fuite à cheval très loin dans la ville*. La période où il pensait « ne plus jamais écrire » a duré moins d'un an.

que), des abandons et des frustrations (renoncer à tel détail qui tient à cœur au profit de telle ligne plus importante), de la patience (si je mets deux ans pour écrire une pièce, je ne crois pas que la seule raison en soit la paresse).

*

De quoi parle *Combat de nègre et de chiens* ? Je ne sais plus vraiment, car j'ai du mal à mesurer aujourd'hui la distance entre ce que je voulais écrire et ce qui est écrit – et je le saurai peut-être à nouveau lorsque les représentations commenceront.

Elle ne parle pas, en tous les cas, de l'Afrique et des Noirs – je ne suis pas un auteur africain –, elle ne raconte ni le néocolonialisme ni la question raciale. Elle n'émet certainement aucun avis.

Elle parle simplement d'un lieu du monde. On rencontre parfois des lieux qui sont, je ne dis pas des reproductions du monde entier, mais des sortes de métaphores de la vie ou d'un aspect de la vie, ou de quelque chose qui me paraît grave et évident, comme chez Conrad par exemple, les rivières qui remontent dans la jungle... J'avais été pendant un mois en Afrique sur un chantier de travaux publics [6], voir des amis. Imaginez, en pleine brousse, une petite cité de cinq, six maisons, entourée de barbelés, avec des miradors ; et, à l'extérieur, avec des gardiens noirs, armés, tout autour. C'était peu de temps après la guerre du Biafra, et des bandes de pillards sillonnaient la région. Les gardes, la nuit, pour ne pas

6. Chantier Dumez au Nigeria.

s'endormir, s'appelaient avec des bruits très bizarres qu'ils faisaient avec la gorge... et ça tournait tout le temps. C'est ça qui m'avait décidé à écrire cette pièce, le cri des gardes. Et à l'intérieur de ce cercle se déroulaient des drames petits-bourgeois comme il pourrait s'en dérouler dans le seizième arrondissement... le chef du chantier qui couche avec la femme du contremaître, des choses comme ça. C'était mon point de départ. À partir de là, pendant un an, j'ai fabriqué les personnages, et finalement, ils ont pris de plus en plus de place.

Ma pièce parle peut-être, un peu, de la France et des Blancs – une chose vue de loin, déplacée, devient parfois plus symbolique, parfois plus déchiffrable. Elle parle surtout de trois êtres humains, isolés dans un certain lieu du monde qui leur est étranger, entourés de gardiens énigmatiques ; j'ai cru – et je crois encore – que raconter le cri de ces gardes entendu au fond de l'Afrique, le territoire d'inquiétude et de solitude qu'il délimite, c'était un sujet qui avait son importance.

*

En ce moment j'écris une pièce dont le point de départ est aussi un lieu. À l'ouest de New York, à Manhattan, dans un coin du West End, là où se trouve l'ancien port, il y a des docks ; il y a en particulier un dock désaffecté, un grand hangar vide [7],

7. Immense hangar sur un *wharf* désaffecté de West Side où venaient autrefois accoster les paquebots de la Cunard ou de la Transatlantique.

12

dans lequel j'ai passé quelques nuits, caché. C'est un endroit extrêmement bizarre – un abri pour les clodos, les pédés, les trafics et les règlements de comptes, un endroit pourtant où les flics ne vont jamais pour des raisons obscures. Dès que l'on y pénètre, on se rend compte que l'on se trouve dans un coin privilégié du monde, comme un carré mystérieusement laissé à l'abandon au milieu d'un jardin, où les plantes se seraient développées différemment ; un lieu où l'ordre normal n'existe pas, mais où un autre ordre, très curieux, s'est créé. Ce hangar va être bientôt détruit ; le maire de New York, pour sa réélection, a promis de nettoyer tout le quartier, probablement parce que, de temps en temps, un cadavre y est jeté à l'eau.

J'ai eu envie de parler de ce petit endroit du monde, exceptionnel et, pourtant, qui ne nous est pas étranger ; j'aimerais rendre compte de cette impression étrange que l'on ressent en traversant ce lieu immense, apparemment désert, avec, au long de la nuit, le changement de lumière à travers les trous du toit, des bruits de pas et de voix qui résonnent, des frôlements, quelqu'un à côté de vous, une main qui tout à coup vous agrippe.

*

J'aime bien écrire pour le théâtre, j'aime bien les contraintes qu'il impose. On sait, par exemple, qu'on ne peut rien faire dire par un personnage directement, on ne peut jamais décrire comme dans le roman, jamais parler de la situation, mais la faire exister. On ne peut rien dire par les mots, on est forcé de la dire derrière les mots. Vous ne pouvez pas faire dire à quelqu'un : « Je suis triste », vous êtes obligé de lui faire dire : « Je vais faire un tour ».

Je vais rarement au théâtre, peut-être trois fois par an. Lorsque j'y vais, je me trouve souvent devant un langage très fermé, que je ne comprends pas ; je préfère m'en tenir à l'écart. J'ai le sentiment que parfois les metteurs en scène, les comédiens, travaillent à partir d'émotions que le théâtre seul leur fournit ; ça s'autoreproduit à l'intérieur du théâtre. Comme écrivain, les expériences de théâtre ne me servent à rien, elles me gênent plutôt. Par contre, il m'arrive souvent d'écrire en pensant à des comédiens – dans ce cas, mes choix sont la plupart du temps irréalistes, j'écris pour de Niro ou Brando !

Je me sens davantage attiré par les cinéastes – surtout les cinéastes américains, Kazan – et par les romanciers – les Latino-Américains comme Vargas Llosa, les Anglo-Saxons, surtout Jack London.

*

Devant un sujet qui nous paraît tout à coup immense et compliqué, il me semble bon d'utiliser, et éventuellement de fabriquer, pour le saisir, des instruments à notre mesure. C'est pourquoi dans *Combat de nègre et de chiens* j'ai voulu raconter une histoire, avec un début, une évolution, des règles à peu près strictes – malgré moi, car cela m'a beaucoup coûté, au point que j'ai coupé à peu près autant de texte que ce qui en reste, et cependant volontairement : parce que j'ai cru comprendre que c'était seulement si ce que je racontais avait l'apparence d'une

14

« hypothèse réaliste » que la métaphore prenait son sens et ne devenait pas une simple fantaisie. Je n'avais pas fait de même avec ma pièce précédente [8], je ne le fais pas non plus avec celle que j'écris en ce moment [9], chacune m'impose ses propres contraintes.

Pour ma part, j'ai seulement envie de raconter bien, un jour, avec les mots les plus simples, la chose la plus importante que je connaisse et qui soit racontable, un désir, une émotion, un lieu, de la lumière et des bruits, n'importe quoi qui soit un bout de notre monde et qui appartienne à tous.

Été 82

Europe, 1er trimestre 1983

---

8. Il s'agit probablement de *La Nuit juste avant les forêts*.
9. *Quai ouest*.

ENTRETIEN AVEC HERVÉ GUIBERT [1]
« COMMENT PORTER SA CONDAMNATION »

Chez Bernard-Marie Koltès, aux murs sont accrochés des portraits de Jack London, Bob Marley, Bruce Lee, Bob de Niro, Burning Spear. Il écoute du reggae. Le téléphone sonne : il répond en espagnol. Sur la table de travail se trouve une petite photo couleur encadrée : un hangar bâti sur pilotis, dans l'ancien port de New York, le lieu de sa prochaine pièce, tout comme le chantier français perdu en Afrique était le point de départ de Combat de nègre et de chiens.

Vous avez écrit votre pièce en 1979-1980, elle est jouée maintenant en 1983 ; de quelle façon le temps a-t-il pu passer sur elle, ou la marquer ?

D'habitude, pour *La Nuit juste avant les forêts*, par exemple, si je ne me force pas, au bout d'un an, j'oublie ce que j'ai écrit. Cette pièce-là, tout en cherchant à garder un intérêt pour elle, et à l'entretenir, je m'en suis détaché, je la relis comme une pièce étrangère. Mais la voir jouée m'apporte un regain d'intérêt : je revois des choses que j'avais oubliées, un peu classées. Si je suis distant par rapport à la pièce, je ne le suis pas par rapport au spectacle, et c'est ce qui me permet d'aller aux répétitions sans souffrir,

---

1. Ce texte a été revu par Bernard-Marie Koltès.

de pouvoir sans effort me ressouvenir de mes premières impressions pour les transmettre aux acteurs.

Découvrir ses défauts, aussi, me rend un grand service pour la pièce que je suis en train d'écrire [2]. Je voulais que les deux personnages masculins, Horn et Cal, parlent ensemble, et, après avoir écrit ce qu'ils disaient, j'ai dû chercher ce qui les avait réunis, et je les ai placés devant une table de jeu. Ce genre de truc ne marche que s'il est vraiment issu du dialogue et de sa raison d'être, non d'une façon extérieure. Si je devais faire rejouer les personnages, il faudrait que, par leur jeu, il se passe quelque chose. Il faut trouver les actions dans un rapport plus dialectique avec le langage.

Le Noir qui vient chercher le corps de son frère ne m'est apparu qu'à la presque fin du travail. Je voulais que le Noir entre dans l'endroit, j'étais attaché à la notion d'entêtement, et d'un langage clair, d'une manière directe de voir les choses. À la fin, de toutes les évidences, il n'en est resté qu'une seule : il fallait que le Noir vienne réclamer quelque chose. Et ce motif, issu de la pièce, a pu la faire rebondir, il n'était plus simplement un truc.

Mais est-ce que le changement de gouvernement [3], par exemple, qui est intervenu entre le moment où la pièce a été écrite et celui où elle est jouée, n'a pas pu émousser un peu ses violences ?

Je ne crois pas. Le fait qu'il s'agisse d'un chantier de travaux publics étranger, au Nigeria, ne change

---

2. *Quai ouest.*
3. Élection de François Mitterrand en mai 1981.

rien aux rapports de violence entre les entreprises des pays occidentaux et l'Afrique. Le cadre n'est pas de gouvernement à gouvernement. Et je suis content que le lieu d'origine de la pièce ne soit pas un pays faible, ni colonisé. Le Nigeria est un pays fort, de pointe, mais complètement envahi par les entreprises américaines et françaises. Le néocolonialisme n'est pas le sujet de la pièce : on peut, bien sûr, en approfondir toutes les directions, même si elles n'y sont pas directement traitées.

Dans cette pièce, d'ailleurs, la lutte des classes n'est-elle pas ramenée à ce qu'on pourrait appeler une lutte des races ?

Je peux dire oui, je peux dire non. On peut dire qu'il existe une lutte des classes entre Cal et Horn. Mais je ne crois pas que le conflit soit là, ni dans l'une ni dans l'autre, même si elles y interfèrent. Le plus grand conflit s'élève dans ces murs très hauts, dans ces obstacles très complexes qui existent entre chaque individu. Quand on va au Nigeria on se retrouve face aux Noirs, on se regarde, on se rencontre, on sent un fossé immense. On en cherche l'origine : est-ce parce qu'on ne parle pas leur langue, est-ce parce qu'on est blanc ? N'est-ce pas plutôt une chose plus énorme et plus compliquée ? Le fossé est le même entre les deux Blancs qu'entre un Blanc et un Noir. J'ai été troublé d'écrire la pièce en Amérique latine[4], à un moment très fort de bouillonnement politique[5]. Auparavant,

4. Au Guatemala, été 1979.
5. Le séjour au Guatemala vient tout de suite après l'arrivée des Sandinistes à Managua (Nicaragua), où Bernard-Marie Koltès avait

si de Paris je pensais à l'Afrique, je croyais avoir des idées claires sur la lutte des classes, je me disais qu'il suffisait de se ramener avec sa bonne volonté pour en parler. Mais, quand on est au Guatemala pendant la guerre civile, ou au Nicaragua pendant le coup d'État, on se trouve devant une telle confusion, devant une telle complication des choses, qu'il n'est plus possible d'écrire la pièce sous un angle politique. Tout devient plus irrationnel. En découvrant la violence politique de l'intérieur, je ne pouvais plus parler en termes politiques, mais en termes affectifs, et en même temps cet état de fait me révoltait.

Dans votre pièce, ce sont les Blancs qui ont une odeur, et la poésie est dans le camp des Noirs...

J'ai dû subir un phénomème d'osmose à force de fréquenter, d'entendre parler des Blacks. C'est plus qu'une manière de penser : c'est une manière de parler. Je trouve très belle la langue quand elle est maniée par des étrangers. Du coup, ça modifie complètement la mentalité et les raisonnements. On commence à sentir l'odeur des gens quand on est avec des étrangers, quand on parle une langue qui n'est pas la sienne.

Le personnage féminin, Léone, sort « noirci » de la pièce, comme d'habitude on dit blanchi : magnifié. Par une automutilation, elle parjure sa propre race...

eu le temps de passer quelques jours dans une ambiance de révolution.

Au départ, ce n'était pas le sujet de la pièce, mais à la fin c'en est devenu le moteur. Léone voit chez le nègre une manière de porter sa condamnation. De plus en plus, de façon à la fois vague et décisive, je divise les gens en deux catégories : ceux qui sont condamnés et ceux qui ne le sont pas. Du point de vue de Léone, les Noirs sont des gens qui portent une condamnation sur leur visage, au sens propre, mais qui ne leur appartient pas en propre : c'est davantage une malédiction globale à laquelle ils sont assimilés. Léone sent la sienne d'une façon beaucoup plus secrète et individuelle, elle ne peut pas s'appuyer sur l'idée d'être le morceau d'une âme, comme disent les nègres. Avec sa condamnation, elle se retrouve seule, et incapable d'exprimer son sens ou sa nature : cette condamnation est dessinée derrière elle de façon immémoriale et apparemment précise. Celle des Noirs lui semble plus enviable, elle voudrait échanger, elle est jalouse, elle trouve son fardeau plus lourd et plus con, plus con surtout.

Le langage de vos personnages est sans cesse « doublé » : pour les Blancs par le double fond des arrière-pensées et du pouvoir, qui en perce la surface, et, pour les Noirs, par la poésie ancestrale...

Alboury, le Noir, est le seul qui se sert des mots dans leur valeur sémantique : parce qu'il parle une langue étrangère, pour lui un chat est un chat. Les autres s'en servent comme tout homme français se sert de sa langue maternelle, comme d'un véhicule conventionnel qui trimballe des choses qui ne le sont pas. Et ces choses-là peuvent se trouver assez proches de la surface, mais parfois au troisième sous-sol. Je ne crois pas qu'au théâtre on puisse parler autrement. Par exemple, à la première scène, si Horn employait le même langage qu'Alboury qui lui dit : « Je viens chercher le corps de mon frère », il répondrait : « Il est en train de flotter dans l'égout », ce qu'il ne dit qu'à la scène dix-huit, et par là la pièce serait finie.

Patrice Chéreau dit que le texte est dur à faire jouer par les acteurs, parce que c'est un texte obsessionnel, et qu'il faut l'affronter, qu'il ne faut pas chercher à le détourner par des indications réalistes...

J'ai l'impression d'écrire des langages concrets, pas réalistes, mais concrets. Et j'ai l'impression d'économiser le plus possible : je passe un temps énorme à couper dans le texte, j'essaie de faire en sorte qu'il ne reste que des phrases utiles. J'écris comme j'entends les gens parler, la plupart du temps, et je ne sais pas trop comment c'est fabriqué, je ne suis pas un théoricien.

Comment avance votre nouvelle pièce ?

Plus elle avance, plus elle est faite de tout petits conflits, qui se succèdent, dont je sais qu'ils ont une unité, mais je ne sais pas encore laquelle. Parfois ce sont des bagarres : un personnage se bat avec les éléments, avec le fleuve. Les histoires se répondent un peu, mais elles n'ont pas trouvé une raison d'être, un fil. On bute toujours sur le problème des motivations extérieures, de la deuxième réplique des scènes qui fait dire aux personnages pourquoi ils sont là. Je n'ai pas de deuxième réplique, et je ne peux pas me fier à des solutions policières, j'attends. J'attends qu'une évidence relie les choses entre elles. Le même problème se pose dans la vie, si on cherche à savoir ce qui lie le fait que quelque chose se passe dans la rue et qu'une deuxième chose lui succède, qui la rattache à une troisième. Dans la vie, c'est là, mais au théâtre ça se discute. On ne peut pas envoyer quelqu'un quelque part sans but et sans motif, et on ne peut pas laisser s'écouler le temps. Tous les exemples, on les prend dans la vie, où le temps passe tout seul et où les gens se promènent sans raison. Après, il faut inventer une histoire.

À partir de quoi se forment les dialogues ?

Mes premières pièces n'avaient aucun dialogue, exclusivement des monologues. Ensuite j'ai écrit des monologues qui se coupaient. Un dialogue ne vient jamais naturellement. Je verrais volontiers deux personnes face à face, l'une exposer son affaire et l'autre prendre le relais. Le texte de la seconde personne ne pourra venir que d'une impulsion première. Pour moi, un vrai dialogue est toujours une argumentation, comme en faisaient les philosophes, mais détournée. Chacun répond à côté, et ainsi le texte se balade. Quand une situation exige un dialogue, il est la confrontation de deux monologues qui cherchent à cohabiter.

Pourquoi écrire du théâtre, et pas de romans ?

Le roman me tente beaucoup, mais j'ai encore un peu peur de la liberté formelle qu'il donne. Ce qui permet d'écrire, quand même, est l'accumulation des contraintes, se mettre à la table jusqu'à ce que quelque chose arrive qui permette de voir comment on peut bouger. Au théâtre, on pèse ses mots. Si j'écrivais un roman, je pèserais autant mes mots et je mettrais dix ans à l'écrire.

Le Monde, 17 février 1983

ENTRETIEN AVEC ALAIN PRIQUE [1]

Combat de nègre et de chiens se passe en Afrique noire dans un rapport de violence entre Blancs et Noirs. Le discours des Blancs est très marqué. Peut-on dire qu'il s'agit d'un théâtre politique ?

S'il est vrai que le politique est présent, le contexte politique fait seulement partie de l'atmosphère dans laquelle baigne la pièce ; c'est-à-dire que, s'il est présent partout, il n'est défini ou délimité nulle part. Il faudrait peut-être le considérer comme un poids ou comme un élément du paysage. La pièce ne parle pas de l'Afrique ni des Noirs.

Mais le discours de certains personnages est raciste. Horn et Cal, par exemple ?

Prenons, si vous voulez, le personnage de Cal. Son racisme primaire dévoile un drame personnel qui m'intéresse. C'est le portrait du raciste ordinaire qui s'ignore en tant que victime sociale. Il n'est pas moins victime de la société que le nègre, mais il essaie vainement de noyer sa condition dans l'excès verbal, dans l'exubérance de ses imprécations. De toute manière, racisme ou antiracisme sont des catégories dans lesquelles je n'arrive ni à penser ni à écrire.

---

1. Ce texte a été revu par Bernard-Marie Koltès

J'entends souvent un langage antiraciste comme je comprends son contraire : comme un discours primaire et présomptueux, qui ne rend pas compte de grand-chose. L'Histoire est probablement manichéiste. Les histoires ne le sont jamais.

Cette référence chez Cal à un instinct qui régirait le monde, qu'en pensez-vous ?

Cal se réfugie derrière la notion sécurisante de l'instinct qui le trahit sans cesse et qui le laisse chaque fois abandonné à sa solitude. Pour lui, l'instinct est un point de repère sans lequel il risque le naufrage ; une manière aussi de s'expliquer le monde. Or, il découvre que le monde marche tout autrement.

Léone parle français et allemand. Le Noir aussi parle plusieurs langues. Le français qu'il parle n'est pas sa langue maternelle. Quel est le langage de vos personnages ?

Chaque personnage, dans la pièce, a son propre langage. Prenons celui de Cal, par exemple : tout ce qu'il dit n'a aucun rapport avec ce qu'il voudrait dire. C'est un langage qu'il faut toujours décoder. Cal ne dirait pas « je suis triste », il dirait « je vais faire un tour ». À mon avis, c'est de cette manière que l'on devrait parler au théâtre.

Quelle relation avez-vous avec votre langue maternelle ?

La langue française, comme la culture française en général, ne m'intéresse que lorsqu'elle est altérée. Une langue française qui serait revue et corrigée, colonisée par une culture étrangère, aurait une dimension nouvelle et gagnerait en richesses expressives, à la manière d'une statue antique à laquelle manquent la tête et les bras et qui tire sa beauté précisément de cette absence-là. Par exemple, dans ma prochaine pièce, tous les personnages parlent le français sans qu'il soit la langue maternelle d'aucun d'eux. Cela apporte une modification profonde de la langue, comme lorsqu'on fait un long séjour dans un pays étranger dont on ignore la langue et que l'on retrouve la sienne modifiée, de même que ses propres structures de pensées.

Votre prochaine pièce ?

Ma prochaine pièce raconte un peu l'histoire d'un lieu et des gens qui y transitent. Ce lieu est un hangar désaffecté au bord de l'Hudson River à New York et qui, maintenant, est en train d'être démoli. La beauté de ce lieu tient à la mystérieuse cohérence qui s'établit entre le décor, la lumière, la présence de l'eau, la résonance des bruits. L'activité humaine s'y trouve comme grandie. C'est une activité tissée de mille drames ordinaires : le désir, le goût de l'argent, l'illusion de la complicité, la profondeur des secrets que chacun garde.

Quels sont vos rapports avec le théâtre ?

Je ne vais presque jamais au théâtre. D'une part, je n'aime pas beaucoup le public du théâtre, et, d'autre part, je comprends rarement les mises en scène, tout cela est vraiment trop français. J'ai vu très peu de spectacles dans ma vie qui m'aient ému, que j'aie compris et aimés. *La Dispute* de Chéreau [2] a été l'un d'eux.

Vous avez travaillé ensemble la préparation du spectacle ?

Il a décidé de monter ma pièce, il y a deux ans. Nous en avons beaucoup parlé. J'ai assisté ensuite aux premières lectures. J'assiste parfois aux répétitions, mais évidemment je n'interviens pas.

Quelles relations avez-vous avec votre propre texte lorsque vous le voyez en scène ?

Je ne le ressens pas péniblement comme par le passé. Sans doute à cause de la qualité du travail de Chéreau, et puis ce texte m'est un peu étranger. Je suis très occupé par l'écriture de ma prochaine pièce.

La Nuit juste avant les forêts, *votre précédente pièce, était le long monologue d'un homme seul. La très belle langue de votre texte interrogeait sur la relation entre l'écriture et la musique ?*

Il n'existe pas de coupure fondamentale entre la musique et la littérature. Tout personnage porte en lui une musique que l'on peut exprimer par l'écriture. À partir du moment où l'on comprend le « système musical » d'un personnage, on en a compris l'essentiel et on pourrait lui faire dire n'importe quoi, il parlera toujours juste. J'ai trouvé dans la musique du reggae

2. *La Dispute* de Marivaux, dans la seconde mise en scène de Patrice Chéreau, en novembre 1972, au théâtre de la Porte-Saint-Martin à Paris.

un équivalent esthétique de tout ce qui m'attire chez mes écrivains préférés. Le reggae, à cause de son système rythmique (une inversion radicale du temps fort et du temps faible), est à mon avis une musique qui transcende sa propre qualité musicale. De la même manière que je suis plus intéressé par un drame ordinaire qui se joue à l'intérieur d'un cyclone que par un drame sublime qui se joue dans une villa, je préfère une musique de reggae moyenne à beaucoup des morceaux de la musique contemporaine.

Vous lisez beaucoup ?

Très peu. Juste quelques auteurs anglo-saxons, Melville, London, Conrad, et des Latino-Américains comme Vargas Llosa.

Ce sont des écrivains de l'exil, de l'ailleurs, du voyage ?

Ce sont des écrivains qui ont un sens extraordinaire de la métaphore. Prenez *Au cœur des ténèbres* de Conrad. C'est l'histoire d'un bateau qui remonte un fleuve à travers la forêt vierge. C'est une métaphore grandiose. Le génie de Melville et de Conrad, c'est de mettre les histoires des hommes sur la mer. Si on lit *Typhon* de Conrad et *Les Travailleurs de la mer* de Victor Hugo, on trouve dans les deux romans une vision cosmique du monde que l'on trouve rarement ailleurs. Une expérience ordinaire prend ainsi chez ces écrivains les dimensions d'un océan et la complexité et l'éclat des phénomènes naturels. La nature peut souvent réécrire un roman.

Votre écriture et vos goûts comme lecteur posent la question du déracinement ?

On ne peut pas parler d'histoire qui ne rende pas compte d'un déracinement.

Est-ce qu'il existe d'après vous un lien entre homosexualité et déracinement ?

Mon homosexualité n'est pas un pilier solide sur lequel je peux m'appuyer pour écrire. Sur mon désir, bien sûr, mais pas dans sa particularité homosexuelle. D'ailleurs l'expression du désir me paraît être la même chez l'homosexuel et l'hétérosexuel. Le langage du désir est un langage intérieur qui ne me semble pas être défini, délimité, d'après le destinataire. Il y a pourtant une forme de déracinement propre à l'homosexuel. C'est une chose que je perçois mais que je n'arrive pas encore à situer. Lorsque je l'aurai comprise, je pourrai en parler.

Le Gai Pied, 19 février 1983

ENTRETIEN AVEC MICHAEL MERSCHMEIER [1]

Lors d'un entretien, Patrice Chéreau a déclaré que ce que vous écrivez l'intéressait parce que vous n'êtes pas un critique qui se prend pour un auteur dramatique, mais quelqu'un qui toute sa vie ne veut et ne peut qu'une seule chose : écrire, tout en ayant une idée précise de la façon dont on construit une pièce de théâtre. Pour poser la question simplement : pour quelle raison écrivez-vous pour le théâtre ?

Que puis-je ajouter ? J'écris du théâtre parce que c'est surtout le langage parlé qui m'intéresse. Le théâtre, j'y suis venu assez tard, je n'ai en fait aucune formation dramatique. Quand j'ai vu mon premier spectacle à vingt-deux ans, j'ai eu le sentiment que le principal, c'était le langage parlé. Au début, en tout cas, ce qui m'importait, ce n'était pas tant de raconter une histoire que de rendre des manières de langage. J'ai donc commencé à écrire des pièces de théâtre. Et, pour l'instant, je n'ai rien d'autre en projet.

J'ai lu que vous aviez fait une formation de mise en scène à l'École de théâtre du TNS à Strasbourg ; était-ce là un essai d'apprentissage de l'écriture à partir de la pratique ?

1. Entretien réalisé à Paris pour la revue *Theater Heute* (Berlin), retraduit de l'allemand par Patrice Perrot.

Non, ce n'est pas cela qui m'importait. J'avais écrit une pièce (*L'Héritage*[2]), et on me proposa au TNS de participer à sa mise en scène. Cela signifie que j'avais pour ainsi dire à ma disposition un théâtre et des acteurs, et que je pouvais essayer ma pièce avec eux[3]. En tout, je n'ai passé qu'un an à Strasbourg, sans être réellement élève de la classe de mise en scène.

Je reviens à ma question : « Pourquoi écrire pour le théâtre ? ». Si le langage parlé vous intéresse, vous pourriez écrire aussi des scénarios pour le cinéma ; le théâtre est souvent considéré comme un média démodé...

Cet intérêt ne fut en fait qu'un point de départ. Par la suite, je me suis aperçu plus nettement en écrivant qu'on a aussi besoin d'une histoire. J'ai de plus en plus plaisir à raconter des histoires. Le théâtre c'est l'action, et le langage-en-soi, finalement, on s'en fiche un peu. Ce que j'essaie de faire – comme synthèse –, c'est de me servir du langage comme d'un élément de l'action. En ce qui concerne le cinéma, je crois que mon théâtre est contaminé, abâtardi, par le cinéma – au bon sens du terme. Je n'ai jamais été spectateur assidu au théâtre. Mais je vais presque tous les jours au cinéma. Et par conséquent, j'ai une écriture un peu « cinéma ». Mais je n'écris pas de scénarios, parce que je considère ça comme une forme

---

2. La mention de *L'Héritage* a été ajoutée par l'auteur de l'article. Il s'agissait en réalité de la première pièce de Bernard-Marie Koltès, *Les Amertumes*.
3. On n'a jamais proposé à Bernard-Marie Koltès « un théâtre et des acteurs ».

d'écriture particulièrement inférieure... en raison des exigences imposées aux scénarios pour se conformer aux idées des producteurs. J'aurais l'impression d'une régression, car je me fous complètement d'écrire : « Une maison, une rue, une voiture passe... » ou juste l'inverse. Ce genre de truc comme ça, ça m'emmerde. Ce n'est pas de ça dont j'ai envie. Les vrais auteurs de cinéma, ce sont ceux qui font leurs propres films d'après leurs scénarios. Pour l'instant, j'essaie plutôt pour moi un truc intermédiaire : travailler un roman [4] avec des techniques cinématographiques, comme l'a fait par exemple Faulkner.

Mais vous avez écrit un roman, non ?

C'est vrai que ça me stimule, d'écrire des romans, surtout parce que je trouve ça toujours aussi décourageant et épuisant, d'écrire des pièces de théâtre... peut-être parce que je n'en ai pas encore tellement écrit... D'autre part, en ce qui concerne la publication de mon roman [5], on vient juste de me la proposer, huit ans après que je l'ai achevé. Et maintenant il ne m'intéresse plus. Le théâtre, c'est autre chose : quand on a écrit une pièce, elle est mise en scène un ou deux ans plus tard. C'est une motivation un peu terre à terre, mais, pour moi, il est clair que j'ai envie de voir quelque chose de « fini » quand je l'aime encore, quand je ne m'en fous pas encore complètement... Mon roman d'il y a huit ans, je l'ai oublié depuis longtemps, je ne sais même plus exactement de quoi il s'agit. Et maintenant

4. Il entreprend alors d'écrire un roman, dont il n'achèvera que le *Prologue,* publié en 1991.
5. *La Fuite à cheval très loin dans la ville.*

il risque d'être publié. Je le ferai lire à mes amis pour qu'ils me racontent ce qui s'y passe.

Mais vous n'avez sans doute pas oublié tout ce que vous avez fait. Les voyages par exemple, l'Afrique de Combat.

Une part de ma vie, c'est le voyage, l'autre, l'écriture. J'écris très lentement.

... En voyage également ?

Oui, justement ; je n'écris jamais à Paris. Mes idées me viennent toujours en voyage. Mais, à vrai dire, je ne traverse pas la région comme un ethnologue qui voyage pour collecter des impressions et les exploiter ensuite. L'important, pour moi, c'est d'être isolé. J'ai écrit *Combat* dans un petit village du Guatemala où on ne parlait même pas encore l'espagnol. J'y suis resté deux mois. Quand on ne peut plus parler son propre langage, la pensée elle-même change, de petits incidents qui se déroulent sans langage prennent une importance nouvelle. Pour en revenir à l'Afrique et à ma pièce : j'étais quelque part en Afrique et j'ai découvert qu'il me suffisait de décrire cet endroit pour exprimer ce qu'il a déclenché en moi. Ce qui se passe dans la pièce, ce sont des choses que j'ai également trouvées à Paris. Ce n'est donc pas une enquête sur la vie sur les chantiers en Afrique. Tout cela peut aussi bien arriver dans une HLM de Sarcelles. Le lieu « Afrique » est en même temps une métaphore.

De plus, pour beaucoup de lecteurs ou de spectateurs, il y a une certaine préconnaissance historique qui impose à la pièce une dimension politique et sociale de l'interprétation. Et ce d'autant plus quand on se balade un peu dans la banlieue et qu'on voit les nombreux ouvriers de couleur, les immigrés des anciennes colonies françaises...

C'est sûr, il y a cette dimension politique. Mais pas au sens dogmatique. Certes, avec le titre *Combat de nègre et de chiens,* j'ai fait un choix émotionnel et en même temps radical en qualifiant les Noirs de bons et les Blancs de chiens, de cochons – ce qui bien sûr n'est pas aussi simple ; mais, une fois ce choix fait, j'ai pu commencer à aimer les Blancs.

À côté, si on veut, de l'aspect Nord-Sud, j'ai vu également un thème homme-femme, plus perceptible à la représentation qu'à la lecture. Léone, la femme blanche de Pigalle qui est attirée par un Noir qu'elle fascine aussi, Alboury, qui attend dans la brousse qu'on lui remette le cadavre de son frère assassiné. Alors que les deux autres hommes, Horn et Cal, craignent son exigence, mais ne la comprennent pas ; il y a entre Alboury et Léone une forte attirance, au-delà de toute peur, de toute absence de connaissance profonde – car Léone vient juste d'arriver et n'a encore jamais été en Afrique.

En effet, c'est la relation entre eux deux qui m'a le plus intéressé. Le problème Noir-Blanc est vu de façon dualiste, conformément à la conception historique générale. Les histoires individuelles ne sont jamais simplement dualistes. D'une part, je voulais montrer comment et jusqu'à quel point la proximité est possible entre la femme et le nègre, d'autre part, aussi, les obstacles qui rendent finalement cette proximité impossible, parce que la grande Histoire est trop forte, quelles que soient la violence et l'énergie des expériences personnelles. D'une part donc, épuré, complètement individuel, l'instant de la proximité, d'autre part, et c'était aussi un sujet dramaturgique pour la pièce, une sorte de nécessité antique fatidique, d'une incroyable attirance et d'une insurmontable singularité. En même temps, l'important n'est pas de savoir si ces deux personnages font quelque chose ensemble, et quoi exactement. Cette proximité rend possible le fait que ces deux personnages parlent des langages étrangers et se comprennent tout de même...

... *Quand Léone parle même allemand à Alboury et récite pour lui* Le Roi des Aulnes *(ballade de Goethe)...*

... Oui, là j'ai retrouvé mon vieux penchant pour le « langage » et j'ai pu montrer ce que tout le monde aura compris, même à Munich : combien de fonctions distinctes peut avoir le langage.

Que pensez-vous de la mise en scène de Chéreau ? Avez-vous participé aux répétitions, suivi son travail en continu, ou bien vous en êtes-vous complètement tenu à l'écart ?

Il y a plus de deux ans que Chéreau avait décidé de monter la pièce, pendant ces deux ans nous en avons parlé, parlé et reparlé. À la fin, il comprenait mieux la pièce que moi. Puis j'ai participé aux premières répétitions, et, comme il savait tout mieux que moi, j'ai arrêté ; cela m'a perturbé, surtout parce que j'étais en train d'écrire une autre pièce ; et je le voyais démonter ma pièce avec une logique qui ne pouvait être la mienne, une logique de metteur en scène, qui m'empêchait d'écrire. Je ne jetais plus une seule phrase sur le papier sans me représenter ce que donnerait tel ou tel élément sur scène. Je me demandais soudain comment régler les entrées et les sorties, etc, questions qu'un auteur ne devrait pas se poser. Ce n'est qu'à la fin des répétitions que j'y ai assisté de nouveau de temps à autre.

Le spectacle lui-même, en particulier l'atmosphère engendrée par le décor, la lumière diffuse, le brouillard gris ou la brume, avait peu de rapports avec l'idée que je me faisais de l'Afrique. J'ai surtout vu la grande métaphore symbolisée, mais nettement moins une situation concrète – que ce soit en Afrique ou ici à Paris, à Nanterre, par exemple, où votre pièce se joue normalement. Avez-vous regretté l'absence de l'une des deux dimensions que contient votre texte ?

Je trouve, et c'est presque surprenant, qu'il est arrivé à reproduire l'Afrique telle que je l'ai perçue, c'est-à-dire pas de palmiers, ni de plages de sable, ni de nègres qui jouent du tambour, mais ce que j'ai vu au Nigeria, à Lagos qui est une espèce de New York africain, avec des ponts, de la brume, de la crasse, de la puanteur, des ordures. Un enfer industriel. C'était bien rendu dans la mise en scène de Chéreau, contrairement à la première mise en scène de ma pièce à New York, où il y avait des palmiers et des cases qui traînaient sur le plateau.

Je pensais moins à l'Afrique stéréotypée qu'à une atmosphère de chaleur accablante, à une lumière différente.

Mais c'est précisément ce qui m'a choqué en Afrique, sa ressemblance si fréquente avec un chantier de la banlieue parisienne. En plus chaud seulement. Mais comment rendre la chaleur sur scène ?

C'est certainement difficile. Et votre prochaine pièce, dont vous parliez à l'instant ?

Je suis allé à New York pour la finir, car c'est aussi à New York que j'en ai eu l'idée, il y a trois ans, à New York où en fait elle ne se passe pas... Elle traite de huit personnes, un Français, un Argentin, des Noirs et des Chinois. Ces personnages sont inspirés par la vie de deux quartiers new-yorkais qui m'ont particulièrement impressionné : le Bronx et Harlem-Ouest. Pour l'instant, ils sont en grande partie officiellement « désertés », il y a beaucoup de logements vides ; la police ose à peine y mettre les pieds ; et puis l'ancien port de pêche qu'on est en train de réhabiliter, les anciens entrepôts dans lesquels se passent les choses les plus étranges. Cet endroit isolé, particulièrement, est devenu un point de départ métaphorique pour la pièce : en pleine ville organisée, un territoire qui ressemble à une parcelle de prairie sauvage.

Vous êtes si souvent en voyage, il faut que je vous pose une question : est-ce que vous pouvez vivre de vos pièces ?

Non, pas vraiment. J'écris depuis plus de dix ans, mais c'est seulement depuis cette année que je peux en vivre, simplement beaucoup moins bien que des comédiens, par exemple. Je suis certainement celui à qui *Combat* a le moins rapporté. En fait, je n'ai jamais travaillé à côté, parce que j'avais résolu que j'étais capable de vivre de ma seule écriture. Sinon, tant pis pour moi.

Et de quoi avez-vous vécu, pendant ces dix ans ?

Il y a des amis qui m'ont aidé. Depuis un an, je touche en plus une aide de l'État et désormais des honoraires, par-dessus le marché. Ce que sera l'avenir, je n'en sais rien. Si personne ne vient voir mes pièces, je serai le seul à ne rien gagner ; en effet, tous les autres sont payés, qu'il y ait ou non des spectateurs. En fait, je devrais écrire davantage, mais je n'y arrive pas. Il me faut déjà environ deux ans avant d'avoir de nouveau quelque chose à dire.

Theater Heute, n° 7 /83

DEUXIÈME ENTRETIEN
AVEC ALAIN PRIQUE [1]

Comme on l'a écrit, ce n'est pas un livre [2] « sur » la came, mais écrit de l'intérieur...

Je ne sais pas ce que c'est que le « sujet » d'un livre, je n'ai jamais écrit quelque chose sur un sujet quelconque. À moins que le sujet ce soit ce qui nous donne envie d'écrire ; dans ce cas le sujet c'est toujours des gens. En ce qui concerne ce livre, j'ai voulu raconter quatre personnages en train de regarder, marcher et vivre dans une ville de province.

Qui sont vos personnages : Chabanne, Félice, Barba, Cassius ?

Ce sont des gens qui n'ont rien à faire, des gens un peu mous, un peu lâches, qui ont tout leur temps pour regarder les choses. Le fait de n'avoir rien à foutre, c'est un état que je trouve marrant à observer. J'ai passé cinq ans de ma vie, peut-être plus, à ne rien foutre du tout. Lorsque j'y repense, je me dis que c'étaient des années ni plus remplies ni plus vides que d'autres. Il y a simplement le fait que la tête, les sens de la perception, se mettent à marcher à une autre allure.

---

1. Ce texte a été revu par Bernard-Marie Koltès.
2. Il s'agit de *La Fuite à cheval très loin dans la ville.*

Que vivent-ils à travers la drogue ?

C'est un peu le même phénomène. J'ai cru long-temps à une différence de nature dans ce qu'on per-çoit avec la drogue ou sans. Et puis, en écrivant ce livre, je me suis rendu compte que non, il s'agit plutôt d'une différence d'allure, qui n'est ni mieux ni moins bien ; différente seulement. C'est à cette « allure » que j'ai voulu écrire ce livre.

La Colline aux Crapules, son cimetière, le quai de la Planque aux Anges sont, avec la came, le manque d'argent, la police, les articulations de votre livre ?

La ville, c'est Strasbourg. J'y ai vécu. Je la déteste, mais c'est une ville étrange, un peu comme une ville posée sur l'eau, qui part à la dérive. D'ailleurs Paris, parfois, me fait aussi cette impression.

J'avais envie de raconter les gens comme je racontais la ville, c'est-à-dire montrer ce qui passe dans la tête de quelqu'un avec la précision qu'on peut avoir pour décrire un paysage, et sans prendre davantage parti, sans donner de raison. Le théâtre m'a un peu appris cela : montrer tout ce qu'on peut d'un personnage sans définir des motifs ; en général, lorsqu'on veut donner des motifs à quelqu'un ou à quelque chose, on est à peu près sûr de se tromper, comme dans la vie. Bref, raconter le mieux possible, sans jamais « résoudre ».

En lisant votre livre, on songe, par sa technique, ses découpages, au cinéma.

Je suis de la génération du cinéma ; en plus, je suis un grand consommateur de films ; c'est même le seul art, avec la musique, dont je ressens la nécessité pour moi. Alors c'est vrai qu'à la fin le cinéma finit par donner le goût de multiplier les points de vue, de montrer un personnage vu par un autre, de faire des champs et des contrechamps, et de donner une grande importance au montage. Ceci dit, la notion de « point de vue » en littérature a toujours existé.

Huit ans séparent l'achèvement du livre de son édition ?

Il y a huit ans, on me disait qu'il était impubliable ; aujourd'hui on m'a proposé de le faire. Je ne sais pas vraiment pourquoi.

Et sa relecture ?

C'est toujours pénible de se relire, surtout après tant de temps. Car, enfin, écrire un roman, ou une pièce, c'est se perdre dans une matière, des émotions, les épuiser pour soi, et devoir les contempler à nouveau, à froid, ce n'est pas bien agréable. J'ai un peu le même problème avec les pièces qui sont montées deux ans après avoir été achevées. Et puis il y a des faiblesses, que je vois trop clairement. Aujourd'hui, par exemple, la scène de l'interrogatoire de police serait un brouillon, un plan. Et puis j'ai complètement perdu l'idée qu'on peut « bien écrire », tout court, comme si une phrase pouvait être belle en soi. Alors il y a dans ce roman, je crois, des choses qui ne sont pas assez bien écrites, et des choses qui sont trop bien écrites...

Ceci dit, c'est un texte que je ne renie pas, parce que les personnages, et ce qu'ils vivent, et comment ils le vivent, ça, je le reconnais bien, je l'aime encore.

L'an prochain, dans une mise en scène de Patrice Chéreau, en coproduction avec la Comédie-Française, sera créée à Nanterre votre pièce Quai ouest. *Dans un précédent entretien, vous nous aviez confié qu'on y retrouverait la situation de personnages ne parlant pas leur langue maternelle. On trouvait cela aussi dans* Combat de nègre et de chiens.

Je trouve que le rapport que peut avoir un homme avec une langue étrangère – tandis qu'il garde au fond de lui une langue « maternelle » que personne ne comprend – est un des plus beaux rapports qu'on puisse établir avec le langage ; et c'est peut-être aussi celui qui ressemble le plus au rapport de l'écrivain avec les mots.

Et puis, cela permet de raconter certaines choses qu'on ne pourrait pas dire autrement. Dans *La Fuite...*, par exemple, Chabanne, lorsqu'il comprend qu'il est vraiment seul, oublie brusquement le français et se met à parler arabe, tandis que celle qui l'aime continue malgré cela à comprendre ce qu'il dit. Ou bien, dans *Quai ouest*, une vieille Indienne, d'abord « apprivoisée » dans un pays d'Amérique latine, puis émigrée en Occident, lorsqu'elle meurt, s'enfonce dans la mort d'abord en français, puis en espagnol, et, à la toute fin, dans sa langue indienne inconnue de tous.

Vous écrivez en ce moment un scénario ?

Il s'agit d'une histoire qui sera probablement tournée l'été prochain à Londres.[3] Cela se passe entre

3. Il s'agit du scénario *Nickel Stuff*, que Bernard-Marie Koltès avait écrit pour le réaliser, projet qu'il avait abandonné. Ce film, que

autres endroits dans une boîte du quartier noir de Brixton.

C'est très agréable d'écrire pour le cinéma ; c'est beaucoup plus facile, beaucoup plus libre, que le théâtre ou le roman ; il n'y a pas les mêmes contraintes techniques, le temps, les lieux, les motivations, qui sont les grands problèmes du théâtre. En même temps, ce n'est quand même qu'un demi-travail – c'est d'ailleurs pour cela que c'est facile. Ce peut être un bon exercice de style, mais un écrivain ne peut pas y trouver tout son compte.

Vous pourriez cesser d'écrire ?

Non.

Masques, 1er trimestre 1984

Patrice Chéreau avait voulu reprendre en écrivant un nouveau scénario, n'a jamais été tourné faute de producteur. Bernard-Marie Koltès avait alors tenté de le proposer à Stephen Frears et à Robert Altman, sans réussir à les approcher.

TROISIÈME ENTRETIEN
AVEC ALAIN PRIQUE [1]

L'origine de Quai ouest ?

Quai ouest est une pièce que j'ai décidé d'écrire
après mon premier séjour à New York, en 1981. J'y
avais vu ce fameux hangar qui faisait face au New
Jersey, sur le West Pier, le long de l'Hudson River et
qui aujourd'hui n'existe plus. J'y ai passé beaucoup
de temps, pendant les quatre mois où j'étais à New
York ; et j'en suis revenu avec, non pas une histoire,
mais une sorte de plan d'architecture pour une pièce ;
j'ai un peu conçu *Quai ouest* comme on pourrait
construire un hangar, c'est-à-dire en bâtissant d'abord
une structure, qui va des fondations jusqu'au toit,
avant même de savoir ce qu'on va exactement y entre-
poser ; un espace le plus large et le plus mobile possible, à la fois ouvert aux courants d'air et aux lumières, et étanche si on le veut ; une forme suffisamment
solide pour pouvoir contenir d'autres formes en elle.
C'est ainsi que j'ai eu le projet, en un même texte,
d'écrire un texte à lire et un texte à jouer. J'ai pensé

1. Ce texte est la première des trois versions successivement cor-
rigées par l'auteur (au cours d'une correspondance avec Alain Prique
entre New York et Paris durant l'été 1985), qui aboutiront au texte
publié par *Théâtre en Europe* sous le titre « *Un hangar, à l'ouest* »,
repris par les Éditions de Minuit dans *Roberto Zucco*.

47

que le texte de théâtre ne devait pas obligatoirement n'être qu'un matériau pour un spectacle, mais pouvait être lu, comme un roman, si on s'attachait à lui donner une forme à lire. C'est ce que j'ai tâché de faire.

Peu d'endroits vous donnent comme ce hangar disparu le sentiment de pouvoir abriter n'importe quoi – je veux dire par là : n'importe quel événement impensable ailleurs. Alors, bien sûr, ma première idée fût de s'y faire rencontrer deux personnes qui n'avaient aucune raison de se rencontrer, nulle part et jamais. Ainsi sont nés Koch et Abad.

Comment avez-vous pensé l'histoire ? Un type, un bourgeois fortuné, arrive dans un lieu abandonné avec sa voiture. Il est accompagné d'une femme et il veut se tuer. Là, il rencontre d'autres gens, un autre monde ?

Il m'arrive parfois, lorsque je suis avec une personne en qui rien, je dis bien rien – sauf le fait de manger, de dormir et de marcher – ne ressemble à telle autre, il m'arrive de me dire : et si je les présentais l'un à l'autre, qu'arriverait-il ? Dans la vie, bien sûr, il n'arriverait rien ; les chiens s'accommodent bien des humains sans être quotidiennement stupéfaits des différences. Il faut des circonstances, des événements ou des lieux bien précis pour les obliger à se regarder et à se parler ; la guerre, la prison en sont, je suppose ; ce hangar en était un ; le plateau de théâtre en est un, certainement.

En fait, c'est un peu comme si j'avais mis face à face, dans cette pièce, un personnage issu de mon enfance et un personnage issu de ma jeunesse. C'est vrai que, songeant au monde de mon enfance – qui est celui de la bourgeoisie militaire, dans la province française – et à celui de ma jeunesse – qui n'est ni bourgeois, ni militaire, ni provincial, ni français –, l'idée même de les placer face à face donne envie de rire et l'on imagine qu'ils vont se regarder, gênés et courtois, qu'ils vont se serrer cérémonieusement la main et se séparer très vite sans qu'il ne se passe rien, l'un avec le portefeuille de l'autre, et l'autre en s'essuyant les mains avec son mouchoir. Et pourtant, puisqu'ils se sont succédé dans ma chronologie et donc confrontés et regardés longuement, ils pouvaient bien le faire, me suis-je dit, sur un plateau de théâtre. C'est ainsi que Koch se servira d'Abad pour arriver à ses fins, et Abad de Koch, et qu'entre-temps il aura bien fallu qu'ils communiquent, comprennent exactement ce que veut l'autre, et en déduisent une sorte de communauté d'intérêts.

Les motivations qui me poussaient à écrire cette pièce étaient si nombreuses qu'elle finirent par constituer la principale difficulté à l'écrire. Imaginer qu'un matin, dans ce hangar, vous assistiez à deux événements simultanés ; d'une part le jour qui se lève, d'une manière si étrange, si antinaturelle, se glissant dans chaque trou de la tôle, laissant des parties dans l'ombre et modifiant cette ombre, bref, comme un rapport amoureux entre la lumière et un objet qui résiste, et vous vous dites : je veux raconter cela. Et puis, en même temps, vous écoutez le dialogue entre un homme d'âge mûr, inquiet, nerveux, venu là pour chercher de la came ou autre chose, avec un grand type qui s'amuse à le terroriser et qui peut-être finira par le frapper pour de bon ; et vous vous dites : oui, je veux raconter cette rencontre-là. Et puis très vite vous comprenez que les éléments sont indissociables, qu'ils sont un seul événement selon deux points de vue ; alors vient le moment où il faut choisir entre les deux, ou, plus exactement : quelle est l'histoire qu'on va mettre sur le devant du plateau et quelle autre deviendra le « décor ». Et ce n'est pas obligatoirement l'aube qui deviendra décor.

Avec des parentés entre La Fuite à cheval... *et* Combat de nègre..., *on sent des différences. Curieusement, le désir de mourir de Koch si présent au début du texte a perdu toute importance à la fin et sa mort est devenue anecdotique.*

Dans *La Fuite à cheval...* , il s'agit d'un même univers qui est décrit, même si les intérêts des personnages sont contradictoires. Dans *La Nuit juste avant les forêts* davantage encore, puisque c'est un seul homme qui parle. Dans *Combat de nègre..,* il s'agissait déjà de deux mondes, mais qui se parlaient comme au-dessus d'un précipice, le point de vue narratif restant tout le temps du même côté, celui des Blancs, avec seule Léone qui tentait de jeter une corde de l'autre côté. Dans *Quai ouest*, le point de vue change ; c'est un peu comme si on faisait un long travelling d'un côté à l'autre du précipice.

Je me suis beaucoup posé la question, en écrivant *Quai ouest*, de savoir si une pièce pouvait commencer sur un « sujet » et terminer sur un autre. Il m'apparut que oui, pour la bonne raison que, dans la vie, on peut changer de point de vue sur une même question, donc changer la question. C'est ainsi que le début de la pièce tourne autour de : Koch parviendra-t-il à se jeter dans le fleuve ? Alors qu'à la fin, lorsqu'il meurt, on ne s'en soucie qu'à travers le destin d'Abad, et c'est Charles et Abad qui terminent la pièce.

Dans *Quai ouest*, j'ai tâché d'être le plus clair possible sur les enjeux ; ce qui m'a poussé à volontairement assombrir les faux enjeux. Par exemple, Koch. On a trop souvent tendance lorsqu'on vous raconte une histoire, à poser la question : pourquoi ? Alors que je pense que la seule question à se poser est : comment ? Si vous restez à votre fenêtre et que vous regardez les gens passer, vous ne vous demandez pas tout le temps : pourquoi cet ivrogne s'est-il saoulé ? Pourquoi cette jeune femme a-t-elle les cheveux gris ? Pourquoi cet homme parle-t-il tout seul ? Parce qu'une réponse à cette question serait probablement banale, partielle, conduisant à toutes les erreurs, à tous les préjugés. Ainsi, en ce qui concerne Koch, je pose le fait qu'il veut se suicider comme une hypothèse préalable, et lui-même est fort agacé quand on lui en demande les raisons. Car, effectivement, elles importent peu. Je peux en donner dix mille, toutes imparfaites et suffisantes. En tout cas, il est agi par cette volonté, et l'important est de savoir comment il va faire, ce que cela va provoquer, et révéler autour et à l'intérieur de lui.

De même, la mort de Koch se passe-t-elle hors scène : uniquement pour ne pas répondre à cette question : est-ce Abad qui a tué Koch ou Koch s'est-il tué lui-même ? Répondre à cette question, ce serait refuser de voir que, dans tous les cas, le résultat est le même, pour Koch, pour Abad, pour Charles, pour Rodolfe, pour tout le monde. Koch mort, c'est comme si Abad l'avait tué, d'un certain point de vue ; et c'est comme si Koch s'était suicidé, d'un autre point de vue.

Chacun peut bien avoir son opinion sur la question, qu'est-ce que cela change ?

La langue que parle Charles ou Abad fait songer à celle que parlait Horn ou Léone dans Combat de nègre... *et même à celle parlée dans* La Fuite à cheval... *Une langue blessée, très altérée, constamment « détournée » par ceux qui la parlent.*

La question me semble bizarre par rapport à la réponse. La réponse ne traite pas du langage, mais du rapport de la pièce avec le point de départ qu'est New York, ce hangar et le spectacle des races multiples parlant une langue unique de beaucoup de manières différentes. Car ce n'est pas une pièce sur le « sujet », ce n'est pas une pièce « américaine » ; mes personnages, il faut les chercher du côté est de l'Atlantique, du nord au sud. D'ailleurs, je ne me risquerais jamais à écrire une pièce « américaine » ; on ne peut parler que de ce qu'on connaît, et l'Américain d'origine anglo-saxonne m'est aussi étranger qu'un Chinois à un Berbère. Sans doute, si l'on ne se rend pas toujours compte immédiatement de ce fait, est-ce à cause du manque d'exotisme mutuel dans nos manières de vivre.

Vos personnages ne cessent de rencontrer un échec ?

À moins de croire naïvement qu'un raté est un homme qui n'a pas réussi au sens le plus vulgaire du terme, on aurait tort de penser que les personnages de *Quai ouest* sont des ratés. Il y a sans doute beaucoup de ratés qui n'ont jamais subi d'échec ; de toute façon, c'est une notion qui n'a pas beaucoup de sens en soi. L'échec, c'est autre chose. Charles, par exemple, accumule une série d'échecs ; or il meurt, si je puis dire, satisfait, ou le plus satisfait possible. L'échec, ce n'est pas l'impuissance à satisfaire un désir, c'est un aspect de la complexité d'un désir ; c'est un désir qui existe en soi. Et, pour le faire exister, Charles ne manque ni d'habileté, ni de courage, ni de cohérence. On pourrait d'ailleurs se dire cela de tous les personnages. L'avantage des histoires qu'on invente, c'est de pouvoir en imaginer la meilleure fin possible. On peu donc partir du principe que chacun accomplit absolument ce qu'il voulait ou avait à accomplir ; le nombre de morts et de blessés ne changent rien à l'affaire.

Abad semble à travers toute la pièce le maître d'un jeu d'ombres et de lumière. Poétiquement, le personnage est très beau.

Il y a deux manières de parler d'Abad. L'une, peut-être un peu littéraire, mais qui rend peut-être le mieux compte de ce que, à la fin, l'histoire raconte ; c'est François Regnault qui écrivait : « Abad n'est pas un personnage en négatif au milieu de la pièce ; c'est la pièce qui est le négatif du Noir ». Mais peut-être vaut-il mieux en parler comme d'un personnage à part entière, parce qu'il en est un. Finalement, il n'est ni plus ni moins secret que Koch ; il est seulement moins familier. Il n'est pas, morphologiquement, différent des autres ; sa couleur est une circonstance sans raison ; tout ce qui fait sa différence est volontaire de sa part. Ce n'est pas Gaspard Hauser. Il n'est pas plus incapable de parler que Koch ; il refuse de parler, voilà tout. Sa seule différence notable et structurelle est sa lenteur ; et c'est un des moteurs de l'histoire.

Il y a entre tous vos héros de constants échanges : la sœur de Charles, comme les clés de la voiture et même la vie, la mort. Tout un commerce. Un véritable trafic ?

On traite parfois les sentiments comme on traitait le mouvement à l'ère préscientifique, avec une explication du genre : la flamme monte et la pierre tombe. Les sentiments éternels, c'est un peu comme les lois éternelles en mécanique : des conneries provisoires.

Alors, bien sûr, dans cette pièce, on ne se trouve que devant des scènes de commerce, d'échange, de trafic ; et je crois qu'il faut tâcher de comprendre de quel type de trafic il s'agit, et quels en sont les enjeux immédiats, avant de supposer qu'il n'est qu'une apparence.

On peut dire, bien sûr – et sans doute faut-il le dire pour jouer la pièce – que Monique aime Koch, que Claire aime Charles, que Charles et Abad... Je ne sais pas. Peut-être. Mais, en tous les cas, je sais qu'il est faux de penser que des formulations amoureuses sont omises, ou cachées, ou contournées. Dans ce qui lie Charles et Abad et qui conduit l'un à littéralement offrir la mort à l'autre, il n'y a aucun « je t'aime » par en-dessous. D'ailleurs, ce ne sont pratiquement jamais les situations complexes qui dissimulent des « je t'aime » ; ce sont plutôt les « je t'aime » qui dissimulent les situations compliquées ; Monique en est un exemple.

Quel rapport avez-vous à la scène ? Il y a cette voiture de Koch. Elle est l'objet de bien des tractations et sa présence sur scène crée un rapport troublant avec la scène.

Je vois un peu le plateau de théâtre comme un lieu provisoire, que les personnages ne cessent d'envisager de quitter. C'est un peu comme le lieu où l'on se poserait le problème : ceci n'est pas la vraie vie, comment faire pour s'échapper d'ici ? Les solutions apparaissent toujours comme devant se jouer hors du plateau, un peu comme dans le théâtre classique.

Alors, pour moi qui appartiens à la génération du cinéma, la voiture devient le symbole de tout ce qui n'est pas le théâtre : la vitesse, le changement de lieu, etc. Et l'enjeu du théâtre devient : quitter le théâtre pour retrouver la vraie vie. Étant bien entendu que je ne sais pas du tout si la vraie vie existe quelque part, et si, quittant finalement la scène, les personnages ne se retrouvent pas sur une autre scène, dans un autre théâtre, et ainsi de suite. C'est peut-être cette question, essentielle, qui permet au théâtre de durer.

Vous avez à la scène un rapport très conflictuel. Un peu de haine et d'amour ?

Bien sûr que je déteste le théâtre, parce que le théâtre ce n'est pas la vie ; mais j'y reviens toujours et je l'aime parce que c'est le seul endroit où l'on dit que ce n'est pas la vie.

À regarder votre théâtre, il nous touche dans une rivalité au cinéma qu'il semble imposer.

Quand on dit que j'écris le théâtre comme du cinéma, je suis certain que l'on se trompe. Je raconterais tout autre chose et tout autrement au cinéma. Je suis certain aussi que, puisque le cinéma existe, le théâtre n'a plus la même fonction que jadis ; sans doute se spécifie-t-il, sans doute s'oppose-t-il au cinéma aujourd'hui comme il s'est opposé au roman.

Comme si ce qui faisait la différence entre le cinéma et le théâtre résidait dans les décors ou les instruments ! Bien sûr, j'écris des pièces qui se passent en extérieur parce que je n'ai pas envie d'écrire des histoires qui se passent à la cuisine. Et ce n'est pas parce qu'une voiture est garée quelque part que c'est du cinéma. Ce n'est pas la forme du lieu qui fait la différence, c'est l'usage qu'on en fait et sa fonction. Et je suis certain qu'aucune de mes trois pièces ne pourrait marcher ailleurs que sur une scène de théâtre.

La mise en scène de Combat de nègre et de chiens *et le travail de Patrice Chéreau vous ont-ils influencé pour l'écriture de* Quai ouest *?*

La manière dont un metteur en scène pense un spectacle et la manière dont un auteur pense une pièce sont des choses si différentes qu'il vaut mieux qu'elles s'ignorent autant que possible, et qu'elles ne se rencontrent qu'au résultat. Ce qui est le cas.

Par contre, il est certain que le travail de la scène, tel qu'il est fait en tous les cas par Chéreau, est sans pitié pour les faiblesses d'un texte, et cela met en lumière un certain nombre de défauts techniques dont, à la longue, il faut bien finir par se soucier. C'est ainsi que des questions que je me posais déjà, mais confusément, au moment de *Combat de nègre...*, je me suis efforcé de les résoudre consciencieusement pour *Quai ouest*. Ce qui se passe dans une scène, ce qui se dit, tout cela, c'est facile à imaginer ; écrire une jolie scène d'amour, c'est la chose la plus facile du monde ; « bien écrire », comme on dit, encore plus. Faire rentrer la fille sur le plateau, faire rentrer le garçon, leur donner une raison de sortir, et voir à quel point ces raisons modifient la scène qu'on imaginait d'abord, là, il y a de quoi en perdre le sommeil. Maîtriser les personnages même quand ils sont hors scène, pour savoir comment on va les retrouver, ce n'est pas facile. Et puis, j'aurais voulu tout essayer : les flash-back, les sauts dans le temps, les « quelques mois plus tard... » ; jusqu'au moment où il m'a semblé qu'impérativement, au théâtre, le temps s'écoule de manière linéaire et sans interruption, du début à la fin de la pièce. Bref, j'ai découvert la règle des trois unités du théâtre classique, qui n'ont rien d'arbitraire, même si on a le droit aujourd'hui de les appliquer autrement. En tous les cas, c'est bien la prise en compte du temps et de l'espace qui est la grande qualité du théâtre. Le cinéma et le roman voyagent, le théâtre pèse de tout notre poids sur le sol.

Quel spectateur êtes-vous au théâtre ?

Sans doute suis-je injuste à l'égard des spectacles de théâtre que je vais voir, mais peut-être ai-je raison. Je peux bien voir mille mauvais films, je trouve qu'il y a toujours quelque chose de bon à prendre, tandis qu'au théâtre... On essaie souvent de vous montrer le sens des choses qu'on vous raconte, mais par contre, la chose elle-même, on la raconte mal, alors que c'est à bien la raconter que servent les auteurs et les metteurs en scène, et à rien d'autre.

Par exemple, quand je vois l'usage que l'on fait des noirs (de lumière !), sur un plateau, j'ai toujours envie de quitter la salle : la lumière s'allume, les personnages sont là, ils discutent ; la lumière s'éteint, le plancher grince, la machinerie fait du bruit, on met de la musique, rien ne se passe pendant ce temps, on doit se mettre en vacances d'attention ; et tout à coup la lumière se rallume, on est passé ailleurs avec les mêmes, ou on est resté là avec d'autres. Il faut trois répliques pour savoir si on est une heure après ou dix ans plus tard, et il faut qu'on s'intéresse à l'histoire jusqu'au prochain noir. C'est terrible. Alors, si on a vraiment le droit de faire cela au théâtre, le théâtre sera toujours inférieur aux autres techniques. Et dans ce cas là, moi, je préfère aller au cinéma : les moyens sont mieux maîtrisés, on ne met pas cinq minutes à changer de bobine, et on n'entend pas les acteurs se cogner dans l'obscurité contre les meubles.

Combat de nègre et de chiens *a été montré un peu partout ; comment vous ont paru les mises en scène ?*

J'en ai vu quelques-unes, en Allemagne, en Autriche ; et puis à une répétition en Italie. Vous découvrez que le rôle d'Alboury est joué par un Blanc. Ou bien ailleurs on vous dit : « Le problème, chez nous, ce n'est pas les Noirs, c'est les Turcs ». Vous protestez faiblement en disant : je n'ai pas écrit un problème, mais un personnage. C'est un peu comme si on confiait un rôle de femme à un bébé en disant : notre problème à nous, c'est pas les femmes, c'est la natalité. Ou encore en Suède on vous dit : impossible de trouver un comédien noir qui parle suédois ; j'ai le sentiment d'entendre un metteur en scène me dire : je monte votre pièce mais, je vous préviens, pas question d'avoir un théâtre ni de comédiens. Alors, il ne faut pas monter la pièce.

Mais, en vérité, puisque j'écris en français, la seule mise en scène à laquelle je m'intéresse vraiment, que je considère comme une réalisation finale de mon travail, c'est celle, en France, de Chéreau.

Quel est votre rapport au théâtre classique ?

Il est évident que les metteurs en scène montent trop de théâtre dit « de répertoire ». Un metteur en scène se croit en règle avec son époque s'il monte un auteur d'aujourd'hui au milieu de six Shakespeare ou Tchekhov ou Marivaux ou Brecht. Ce n'est pas vrai que des auteurs qui ont cent ou deux cents ou trois cents ans racontent des histoires d'aujourd'hui ; on peut toujours trouver des équivalences ; mais non, on ne me fera pas croire que les histoires d'amour de Lisette et d'Arlequin sont contemporaines ; aujourd'hui, l'amour se dit autrement, donc ce n'est pas le même. Que dirait-on des auteurs s'ils se mettaient à écrire aujourd'hui des histoires de valets et de comtesses dans des châteaux du XVIIIe ? Je suis le premier à admirer Shakespeare ou Tchekhov ou Marivaux et à tâcher d'en tirer des leçons. Mais, même si notre époque ne compte pas d'auteurs de cette qualité, je donnerais dix Shakespeare pour un auteur contemporain avec tous ses défauts. Ce n'est pas parce que Mozart a existé qu'il ne faut pas que Billy Holliday existe encore davantage, et avant tout. C'est terrible de laisser dire qu'il n'y a pas d'auteurs ; bien sûr qu'il n'y en a pas, puisqu'on ne les monte pas, et que cela est considéré comme une chance inouïe d'être joué aujourd'hui dans de bonnes conditions ; alors que c'est quand même la moindre des choses. Comment voulez-vous que les auteurs deviennent meilleurs si l'on ne leur demande rien ? Les auteurs de notre époque sont aussi bons que les metteurs en scène de notre époque.

Vous avez écrit un scénario ?

C'est une histoire qui se passe dans les milieux jamaïcains de Londres [2]. J'ai eu beaucoup de plaisir à l'écrire, même si je ne savais pas du tout comment on écrivait un scénario ; je n'ai pas voulu en lire avant, afin de me trouver devant la nécessité d'en découvrir moi-même la forme « obligatoire ». J'en ai lu depuis, et cela m'a laissé perplexe. On m'a dit aussi qu'en quelque sorte un scénario devait être inévitablement mal écrit, ou plutôt que c'est la mauvaise littérature qui fait un bon film. Je n'arrive pas à m'en convaincre. Faulkner a bien écrit des scénarios qui ont fait de bons films. Je ne sais pas. C'est mon premier scénario et le film n'est pas encore tourné.

Les Noirs sont très présents dans votre théâtre et dans votre vie.

C'est, je le suppose, selon une loi de la mécanique ou de l'astrophysique. Il n'y a pas de pourquoi. Ce

2. Il s'agit de *Nickel Stuff*.

qui est sûr, en tous les cas, c'est que la pierre ne tombe pas sur le sol par sympathie, par solidarité ou par attrait sexuel ; elle tombe dépourvue de tout sens moral. A posteriori, et tout en tombant, elle peut se trouver de jolies raisons de tomber. C'est comme, dans le système solaire, un caillou, en chute permanente vers le Soleil ; si les attractions secondaires sont suffisantes, cela se traduit par une orbite tout autour ; si elles ne le sont pas, ou plus, je suppose que l'on finit par s'écraser.

Il me semble qu'ils seront, inévitablement, présents, jusqu'à la fin, dans tout ce que j'écris. Me demander d'écrire une pièce, ou un roman, sans qu'il y en ait au moins un, même tout petit, même caché derrière un réverbère, ce serait comme de demander à un photographe de prendre une photo sans lumière.

Théâtre en Europe, janvier 1986

ENTRETIEN AVEC DELPHINE BOUDON

Pouvez-vous nous parler de l'histoire de Quai ouest *?*

Il y en a plusieurs, autant qu'il y a de personnages : huit histoires au moins et, selon qu'on choisisse un point de vue ou un autre, huit fois huit. Pour Koch, c'est l'histoire d'un type qui veut se suicider et qu'on empêche de le faire. Pour Monique, c'est celle d'une femme qui suivrait un homme, avec acharnement, sans plaisir ni pour l'un ni pour l'autre, jusqu'à la fin des temps, comme seules les femmes savent le faire. Mais le plus important, je crois, c'est la relation entre les trois jeunes : Charles, Fak et Abad ; un rapport à la fois très courant et assez complexe ; trois personnes liées par un lien obscur, trois « frères » (comme on dit des gangsters qu'ils sont « frères »), quelque chose qui est à la fois au-delà et en deçà des sentiments, le rapport qu'il peut y avoir entre des personnes qui sont indispensables l'une à l'autre, comme les rouages d'une machine ; quelque chose, en tous les cas, que je crois qu'on ne pouvait pas raconter il y a un siècle, quelque chose de notre époque.

L'histoire de Quai ouest *serait donc l'histoire « du commerce, de l'échange et du trafic » de ces relations, comme vous l'écrivez ailleurs ?*

Ce serait, en tout cas, banaliser ces relations que de parler d'amour. Je me suis toujours dit que je ne parlerai jamais de l'amour en tant que tel ; pour moi, c'est une abstraction totale ; c'est le mot le plus superficiel et le plus vague que je connaisse.

Il y a, dans le texte de Quai ouest *tel qu'il est édité, un jeu littéraire extra-théâtral (citations, annexes, monologues entre parenthèses...), comme si à côté du texte il y avait une prolifération de choses à dire.*

Un écrivain écrit des personnages en connaissant toute leur histoire. Au moment où il faut réduire une action à l'action dramatique, il faut enlever énormément. J'ai laissé quelques clés... pour troubler les choses. Je ne pense pas que ce soit tout à fait inutile. Il y a surtout ces trois monologues entre parenthèses. Je crois, par exemple, que le monologue de Fak a donné, en répétition, l'explication du sens qu'avait le hangar ; le monologue d'Abad doit donner le sens du silence d'Abad et des longs textes de Charles.

Les « conseils de mise en scène » ont été écrits à la suite d'une lecture de *Quai ouest* au Festival de Venise [1]. Déjà lors d'une lecture le texte était traité sur un mode totalement sentimental.

On a tendance à résoudre tous les problèmes en disant : un tel aime une telle. Ce qui n'a pas beaucoup de sens, ce mot recouvre un tel éventail d'attitudes qui n'ont finalement rien de commun, que je ne sais jamais de quoi on parle. Sauf que cela finit toujours

1. En mai 1985.

par ceci que, par exemple, dans les quelques productions de *Combat de nègre et de chiens* que j'ai vues à l'étranger, Cal mettait systématiquement la main au cul de Léone, alors que c'était une évidence qu'ils ne devraient presque pas se toucher, et se parler au moins à cinq mètres l'un de l'autre.

Vous n'êtes donc pas du côté de ceux qui défendent l'autonomie du texte théâtral ?

Ce n'est pas aux auteurs à défendre l'autonomie de leurs textes ; un texte se défend tout seul si sa logique est meilleure que celles qu'on lui oppose. Le vrai problème est que les auteurs ne font pas confiance aux metteurs en scène, tandis que les metteurs en scène se méfient des auteurs et les suspectent souvent d'être moins malins qu'eux. Il faudrait mutuellement prendre le risque de se tromper.

Quelle est pour vous la différence entre une écriture proprement littéraire et l'écriture dramatique ?

Une différence de processus. J'ai peu d'expérience du roman, mais il me semble que le théâtre représente une contrainte plus grande. Pas à cause du metteur en scène ou des acteurs – cela facilite plutôt les choses. Mais à cause des problèmes de plateau, de la contrainte du lieu et du temps. La contrainte du temps est la chose la plus importante. Il faut aller d'une affaire qui se noue à une solution, trouver des repères ; jours, nuits, heures... Je ne crois pas que le roman soit assujetti à ce type-là de problèmes.

La multiplication des inserts dans vos textes n'exprime-t-elle pas à sa manière l'inconfort de l'écrivain de théâtre, coincé entre deux dessaisissements ?

Ce n'est pas l'inconfort, c'est une chose magnifique. Mon plus grand plaisir est de voir les acteurs se saisir d'un personnage, de les entendre en parler, d'écouter leurs questions, toujours inattendues. Les personnages changent entre les mains des acteurs, c'est très beau. Qu'est-ce que c'est que la vision de l'auteur ? Je ne crois pas aux problèmes de respect ou de trahison du texte.

Par contre, je n'ai pas la confiance qu'ont beaucoup de gens du métier dans le théâtre – l'idée que ça peut marcher tout seul : un plateau nu, des comédiens... J'ai un grand doute à l'égard du théâtre. Ce que j'aime, c'est le spectacle. On demande habituellement au spectateur de théâtre une patience infinie. Je n'ai pas envie de me pencher pour entendre un acteur me chuchoter une phrase essentielle. On n'écrit pas des phrases essentielles ; on n'a rien d'essentiel à dire. Je n'en sais pas plus sur la vie que n'importe qui. Un écrivain sait mieux comment raconter des histoires, c'est tout.

Je crois très sincèrement que le théâtre est un art qui finit, tranquillement. Et c'est pour cela que ça devient intéressant. C'est un art qui ne peut pas prendre en compte les autres arts, un art qui doute de lui-même, donc, qui reconnaît mieux ce qui lui est propre. Or c'est peut-être dans ces moments-là qu'on produit les choses les plus belles.

La Gazette du Français, avril 1986

ENTRETIEN AVEC COLETTE GODARD

Dans la solitude des champs de coton *est une histoire à deux personnages, une conversation, un dialogue dans la manière du dix-huitième siècle.*

Il y a un bluesman, imperturbablement gentil, doux, un de ces types qui ne s'énervent jamais, ne revendiquent jamais. Je les trouve fascinants. L'autre est un agressif écorché, un punk de l'East Side, imprévisible, quelqu'un qui me terrifie. Ils se rencontrent, chacun attend en vain quelque chose de l'autre. Ils finissent par se taper dessus, mais c'est une histoire drôle. J'ai envie de ne pas dire de choses essentielles, j'ai seulement envie de raconter de mieux en mieux des histoires.

Je n'ai jamais écrit que pour le théâtre et je rêve de roman. À vrai dire, j'en ai écrit un, mais il n'est pas bon. Le théâtre est dur, frustrant, pourtant il donne des moments tellement fantastiques, si incroyables que ça rachète toutes les angoisses.

Et le cinéma ?

Non. Un scénario me demande autant de temps et de peine qu'une pièce, je ne sais pas écrire avec légèreté. Et quand j'ai fini, c'est fini, je ne contrôle plus rien, je n'ai droit à rien. Si l'occasion se présente, j'écrirai, très brièvement, et je tournerai moi-même[1]. Je pense maintenant aux trois formes, roman, cinéma, théâtre, sur un même thème. Plus la musique.

C'est un projet en cours ?

Avec Patrice Chéreau, nous avons effectivement un projet pour 1988, à Avignon d'abord, puis au Zénith. Un spectacle avec une foule, Michel Piccoli et Jacqueline Maillan : elle est un de mes rêves. Elle est merveilleuse. Il y a son métier, son expérience, et plus encore : elle est capable de tout jouer avec une sorte de distance complice... Se servir de ça pour raconter la France pendant la guerre d'Algérie, quel plaisir. Ça me réconcilie avec le théâtre.

Vous êtes fâché ?

Je suis toujours fâché avec le théâtre, et j'y reviens toujours. Entre ma première pièce, *La Nuit juste avant les forêts*, et *Quai ouest*, j'ai approfondi ma technique. Je vais vers plus de simplicité, je cherche l'immédiat. Un comique direct.

Vous avez voulu faire rire avec Quai ouest *?*

Il y a mille façons de rire. Par exemple, le personnage de Jean-Paul Roussillon[2], ce vieux qui ressasse les détails de son suicide, qui se jette à l'eau, qu'on repêche...

Il finit quand même par se suicider.

1. C'était le projet de *Nickel Stuff*.
2. Koch.

Avant d'en arriver là, c'est juste un vieux ronchon ridicule. D'ailleurs, aux répétitions, Patrice, les acteurs, tout le monde s'amusait. Je ne peux pas écrire une scène si je ne peux pas me moquer.

De qui ?

De ce qui se passe. Je ne prends au sérieux que les personnages. Je les aime et je les défends, tous, quels qu'ils soient, et pas plus l'un que l'autre. La rudesse avec laquelle *Quai ouest* a été accueilli m'a appris une chose : quand on veut être comique, il faut l'être absolument, sans détours. Au fond, le succès de *Combat de nègre et de chiens* se fondait sur un malentendu : exotisme, romantisme, tout ce que je refuse. Le succès fait toujours plaisir, mais je ne crois pas avoir eu droit à ces applaudissements. Je n'ai pas réfléchi à la valeur de ce malentendu. Après coup, j'ai compris ce qu'il aurait pu m'enseigner. Au lieu de le négliger, j'aurais dû essayer de le renouveler, de m'en servir pour transmettre ce que j'ai à dire.

Vous pensez que le spectacle ne vous a pas été fidèle ?

Au contraire. Il a été trop respectueux. J'aime ce que Chéreau invente. Avec *Combat de nègre*, une pièce plus maladroite, il a bien été obligé de combler les trous. *Quai ouest* est mieux construit. À la lecture, tout semblait si évident qu'on n'a pas cherché à le rendre évident. J'ai été le premier à demander qu'on fonce dedans, qu'on fasse éclater la forme. De toute façon, quand j'ai fini d'écrire, j'en ai assez du texte, j'ai envie d'autre chose.

C'est un fait, après quelques représentations, Patrice a opéré des coupures. Les acteurs ont acquis la liberté de leurs personnages, le spectacle fonctionne. Je suis heureux quand le public rit.

Vous êtes d'accord avec les critiques ?

Je ne suis pas d'accord quand on m'accuse de décrire un milieu sordide. C'est quoi, le milieu ? Une notion valable en politique, en sociologie, mais qui n'a rien de concret. Mon milieu personnel va de l'hôtel particulier à l'hôtel des immigrés. Mes personnages sont des petits bourgeois perdus, ils ne sont pas sordides. Ils ne sont pas déracinés. Les racines, ça n'existe pas. Il existe n'importe où des endroits, à un moment donné, on s'y trouve bien dans sa peau. Il m'est arrivé de me sentir chez moi au bout du monde, dans des pays dont je ne parle pas la langue. En revanche, à Metz, ma ville natale, je suis toujours impitoyablement décalé. Mes racines, elles sont au point de jonction entre la langue française et le blues. Je pense que le malentendu particulier à *Quai ouest* vient de ce que le théâtre n'a pas l'habitude encore de ce type d'histoire et de personnages.

Il ne vient pas d'un malentendu entre Patrice Chéreau et vous ?

Il n'y a aucune sorte de malentendu entre nous. Nous sommes différents. Il est plus pessimiste, je suis plus désespéré.

Le Monde, 13 juin 1986

70

ENTRETIEN AVEC MICHÈLE JACOBS

Bernard-Marie Koltès, un des jeunes prodiges de l'écriture théâtrale dans la France d'aujourd'hui, habite près de la place Blanche, un des quartiers les plus chauds de Paris : c'est la jonction entre Pigalle et Montmartre qui est belle. Sur trois cents mètres, on pénètre dans trois villes : du côté de la rue Lepic, c'est la vieille France des petits commerçants ; Pigalle, c'est un incroyable mélange de tapin et de touristes, allemands notamment ; un peu plus loin, on a Barbès, tout aussi attachant ! Un brassage de langues et de couleurs de peau qui colle bien à Koltès, même si sa dernière livraison, parue aux Éditions de Minuit et immédiatement saisie par Patrice Chéreau, est d'une écriture on ne peut plus française...

J'ai trop dit que j'écrivais souvent à New York, que j'y puisais en partie mon inspiration. Certains veulent voir des parallélismes entre mon théâtre et le répertoire américain contemporain. Je m'en sens loin pourtant. Mes amis ? Je cherche le Français... C'est vrai que je ne me reconnais pas plus dans la mentalité que dans la musique, le cinéma français.

Après Combat de nègre et de chiens *et* Quai ouest *où la langue est très parlée, voire argotique parfois, vous avez eu la tentation de la pure dialectique. Ché-*

71

reau lui-même se pose la question : entrée de clowns
ou dialogue philosophique à la manière du XVIIIᵉ siècle ?

Cela ne me gêne pas qu'on parle du XVIIIᵉ car c'est, avec Shakespeare et Tchekhov, le seul théâtre que j'aime. Celui de Marivaux, en tout cas ! La dialectique, c'est la forme la plus simple que j'ai trouvée pour dire des choses simples. De plus en plus, ma préoccupation est de plaire au public. Pas nécessairement à un public qui a l'habitude d'aller au théâtre : moi-même je n'y vais que deux ou trois fois par an. Surtout pas à un public qui s'obstine à vouloir y trouver des choses graves et sérieuses, par la faute, d'ailleurs, des metteurs en scène ; je voudrais que les spectateurs aient du plaisir avec mes pièces. Jusqu'à présent, je ne me suis jamais retrouvé dans les mises en scène de mes textes à l'étranger. Une exception peut-être, à propos de laquelle les « émissaires » que j'avais envoyés m'ont dit grand bien ; c'était à Bruxelles, *La Nuit juste avant les forêts*, proposée par Daniel Scahaise avec Philippe Volter, seul en scène [1].

On me reproche parfois de travailler exclusivement avec Chéreau ; mais, à chaque fois, je le choisis et il me choisit. Il a pris le risque incroyable de démarrer aux Amandiers avec *Combat de nègre*. Nous nous sommes battus pour sauver *Quai ouest* que la critique n'a pas ménagé, à juste titre, mais qui m'a beaucoup appris. Je n'ai pas admis qu'on juge à cette occasion Chéreau de la même manière qu'on regarde un grand metteur en scène du moment qui aborde un classique ; il est infiniment plus difficile de s'attaquer,

1. En septembre 1983, au Nouveau Théâtre de Belgique.

comme le fait Patrice, à un texte qui n'a jamais été joué. Avec *Dans la solitude des champs de coton*, j'ai voulu écrire une pièce courte, réduite à l'essentiel, sans la moindre nécessité d'artifice : les sourires, les rires, les applaudissements du public, je les prends. Je guette sur les visages des spectateurs un plaisir identique à celui que j'ai éprouvé en écrivant cette pièce et en en discutant avec Patrice qui, chaque dimanche de répétition, rituellement, m'en mimait l'un ou l'autre passage.

Il est déjà question de votre prochaine pièce, taillée aux mesures de Jacqueline Maillan et de Piccoli, du festival d'Avignon et du Zénith à Paris...

J'ai eu le coup de foudre pour Jacqueline Maillan en la voyant à la télévision. Je lui ai envoyé des messages déguisés à travers vingt-cinq interviews ; l'un deux est arrivé à bon port. C'est une actrice fabuleuse pour un auteur : elle ne joue pas à côté du texte. Elle joue le texte. J'ai emmené Chéreau la voir dans *Lily et Lili*[2] : subjugué. J'ai organisé une rencontre avec Piccoli qu'elle n'avait plus vu depuis quarante ans ! J'ai hâte de lui faire lire le début de ma pièce et elle me presse de la lui donner ! Ce sera l'histoire d'un frère, et d'une sœur qui revient dans sa ville de province pour se venger du mal qu'on lui a fait jadis. Le contexte est celui des années 60, en pleine guerre d'Algérie.

Le racisme, le colonialisme transparaissent dans chacune de vos pièces.

2. De Barillet, Gredy et Rolland, au Théâtre Antoine à Paris en septembre 1985.

Ce n'est pas mon sujet. Ce n'est pas à moi à parler de l'Afrique, de l'Algérie, encore que je viens de voir un film de Medhi Charef[3] et que je trouve que cet Algérien a filmé Paris de façon sublime... Ce qui m'intéresse avant tout, ce sont les personnages, leurs rapports. Pour *Dans la solitude des champs de coton*, le dealer m'a été inspiré par un bluesman américain, le client par un punk, un petit blondinet méchant.

Aujourd'hui, je suis tout entier aux êtres qui vont peupler ma prochaine pièce. Je ne pense qu'à cela. Quel en sera le style d'écriture ? Impossible à dire. J'ai horreur des discours savants sur le sujet. Je suis invité à un débat par semaine sur l'écriture théâtrale et les rapports avec la mise en scène ; je n'y vais jamais. Les gens s'imaginent que, quand je rencontre Chéreau, nous parlons exclusivement de théâtre. Il nous arrive d'écouter de la musique, de parler de tout autre chose. Vos collègues de la BRT[4] ont été sidérés que je sois un fan de Bruce Lee. Je suis comme un comédien qui aime porter telle paire de chaussures pour répéter. J'ai des petits trucs, par exemple, devant la page blanche. Mais c'est sans intérêt. L'écriture, c'est avant tout une question d'instinct, de plaisir.

Le Soir[5], 19 février 1987

3. *Miss Mona*, 1986.
4. Radio belge.
5. Journal de Bruxelles.

ENTRETIEN AVEC FRANÇOIS MALBOSC

Ce texte [1] *n'est pas écrit pour le théâtre ?*

Non, c'est un dialogue. Alors, savoir si on peut monter un dialogue au théâtre ? Chéreau va prouver que oui. Mais, non, ce n'est pas une pièce, ça touche à d'autres cordes. Je n'ai pas eu les soucis des pièces, qui sont énormes. Et là, j'ai eu une telle liberté, un plaisir en me disant : si ça ne se monte pas...

Et vous l'avez écrit en pensant à Chéreau ?

Je l'ai écrit pour le plaisir. Mais je savais que Chéreau le monterait, parce qu'il me demandait beaucoup ce que j'écrivais. Et je me disais : lui, à mon avis, il est capable de le faire. Mais je ne me suis pas du tout soucié de ça. À cause de la dramaturgie, la proportion du plaisir et de la difficulté, il y a un moment où ça bascule, et c'est navrant. C'est marrant de temps en temps de se remettre à écrire sans souci, juste pour le plaisir d'écrire. J'avais oublié que je pouvais en avoir. Et là, je l'ai retrouvé.

Dans la solitude..., *c'est la guerre ?*

Oui, c'est ça. C'est la diplomatie plutôt.

---

1. *Dans la solitude des champs de coton.*

C'est votre façon ?

C'est la façon des personnages. Comme ils la voient de façon complètement différente, je ne peux pas dire que je m'investis plus dans l'un ou dans l'autre. Mais par contre, dans le type de rapports qu'ils ont entre eux, oui. Oui, c'est ce qui m'intéresse. Mais ça, toujours.

Je n'ai jamais aimé les histoires d'amour. Ça ne raconte pas beaucoup de choses. Je ne crois pas au rapport amoureux en soi. C'est une invention des romantiques, de je ne sais pas trop qui. Si vous voulez recouvrir les rapports entre deux personnes en disant : c'est de l'amour, point, et on n'en parle plus... c'est un truc qui m'a toujours révolté. Déjà avant. Quand vous voyez un couple, qu'ils n'arrêtent pas de s'engueuler, qu'ils sont odieux mutuellement, et qu'on vous explique, oui, mais ils s'aiment, je sais que les bras m'en tombent ! Ça recouvre quoi, le mot « amour », alors ? Ça recouvre tout, ça recouvre rien ! Si on veut raconter d'une manière un peu plus fine quand même, on est obligé de prendre d'autres chemins. Je trouve que le deal, c'est quand même un moyen sublime. Alors ça, ça recouvre vraiment tout le reste !

Ça serait bien de pouvoir écrire une pièce entre un homme et une femme où il soit question de business. Seulement, on ne peut pas imaginer... Là, *Dans la solitude...* , on vous branche tout de suite sur une histoire de pédés. Alors je me dis : quand est-ce qu'on m'épargnera à la fois le désir et l'amour, au sens le plus banal du terme ? Non, non, il y a d'autres choses, et beaucoup plus les autres choses que ça ! Parler du désir, ou parler de ce qu'on appelle l'amour, c'est les choses les plus banales, les plus dépourvues d'intérêt qui puissent exister !

Il y a des moments où les personnages lâchent un peu de lest. Ils essayent d'être brillants tous les deux, puis des moments, tout d'un coup...

Des rounds, comme à la boxe ?

Les matchs de boxe, c'est un résumé de tout l'art dramatique. Moi, je suis fasciné par ça, écœuré et affolé. J'ai la télé depuis pas longtemps. C'est là que ça m'a permis de voir les matchs de boxe. Je dois dire que je ne sais pas quoi faire. J'ai envie de couper et en même temps je me dis que c'est une telle tragédie qui se joue là. Je me dis : mais enfin je n'ai pas le droit... C'est terrible... C'est quand même une des choses les plus dingues dans le type de rapports. Ça raconte un tas de trucs. Et puis, ils souffrent vraiment. Ils ne jouent pas ! C'est fou, ça ! La haine qu'il y a autour pour rien, pour un pauvre type qui se fait tabasser ! Plus il se fait tabasser, plus on le déteste. C'est pas croyable ! La boxe, je n'ai pas le courage d'aller la voir en vrai.

Le lien avec les U.S.A. ?

J'ai écrit le texte là-bas. Ça m'a bien aidé. On entretien un rapport avec le langage dans un pays étranger qui est étonnant. J'écris différemment, par exemple, à New York qu'à Paris. On prend une espèce de plaisir parce qu'on est très seul. C'est une langue qu'on ne parle pas un ou deux mois. L'écrire à côté, c'est étrange. On a l'impression de retrouver sa langue. De la retrouver autrement. Les clichés s'effacent.

Le théâtre, les U.S.A. ?

Non, ce n'est pas bien. Ce n'est pas des pièces pour eux. Maintenant, je ne les donne pas. C'est trop européen. Comme moi, il y a toujours des Noirs dans mes pièces, eux, ils ont l'espèce d'apanage des nègres qui doivent être américains. C'est tuant. Or rien n'est plus différent d'un Noir américain qu'un Sénégalais à Paris. Franchement.

Et puis ils jouent... Je déteste les acteurs américains au théâtre. C'est terrible. Ils sont une dégénérescence d'Actors Studio. Ils jouent hyper psychologique. Comme les mauvais films américains sur les histoires de couple, les femmes hystériques et les maris cruels ! Ou bien ils accouchent d'acteurs incroyables comme au cinéma...

On a l'idée que ça a à voir avec l'Amérique, ce que vous faites.

C'est une erreur. Ça a à faire avec un Européen en Amérique. On ne peut pas parler des Américains. Ils nous sont plus étrangers que les Japonais, culturellement, oui. Sauf, bizarrement, dans le cinéma. Ce que je ne m'explique jamais. Ça vient quand même de ce que les cinéastes sont tous des métèques, des Italiens, des Grecs, Kazan, Coppola, Scorsese... C'est des Européens en Amérique. Et ils parlent sublimement de l'Amérique, sublimement. Sublimement.

Ça fait longtemps que vous écrivez ?

C'est tout ce que j'ai fait dans ma vie. Je n'ai rien fait d'autre en tous les cas. Ça s'est décidé tout seul. La première pièce, c'était sans intention de continuer [2]. Je l'ai fait. Puis ça a marché. Je me suis amusé. Après, on m'a proposé d'entrer au TNS, puis j'ai commencé. Toujours un peu dilettante. Mais en même temps je ne fais que ça. En plus, très tôt, j'ai su que je ne travaillerai pas. Travailler au sens d'avoir un patron, des horaires. J'étais sûr. Puis c'est arrivé, voilà. Je me suis dit, puisque je prends du plaisir à écrire, il faut que je vive avec. Je n'ai jamais fait de petits boulots. Je faisais des trucs aussi. J'écrivais des pièces. Ça passait à France Culture. Un passage à France Culture, ça fait trois mois quand même. On peut vivre trois mois.

Bleu-Sud, mars-avril 1987

2. Ceci et ce qui suit est exagéré. Ici, par exemple, on peut rappeler que l'auteur écrit dès 1968 : « Me voici [...] à la veille de me mettre au service du Théâtre. »

ENTRETIEN AVEC ODILE DARBELLEY
ET MICHEL JACQUELIN

Dans son introduction à notre spécial Photographier le théâtre, *Danièle Sallenave émettait le souhait que, « au théâtre comme ailleurs », on commence « à voir dans l'acte de photographier une réflexion en acte sur l'espace, le temps, le sujet, le geste, la mémoire », et que « l'acteur et le metteur en scène soient prêts à recevoir une image d'eux-mêmes qu'il n'est pas en leur pouvoir de contrôler ».*

Odile Darbelley et Michel Jacquelin, dans la série Arrêt sur *l'image, interrogent des partenaires de la création théâtrale : que pensez-vous de cette photo [1] de votre spectacle ?*

Bernard-Marie Koltès, auteur de Dans la solitude des champs de coton :

Cette photo ne me dit pas grand-chose ; elle est beaucoup trop sommaire. Une photo, il faut qu'elle montre quelque chose ; celle-ci est tellement vague que l'on ne voit rien. On ne voit pas un corps, pas un visage. Alors, qui est là ? Sont-ils beaux ou laids, jeunes ou vieux, noirs ou blancs ? À noter que, dans les quelques

---

1. Photo de Michel Jacquelin, du spectacle *Dans la solitude des champs de coton*, où on voit de face au lointain Laurent Mallet et, de dos à la face, Isaach de Bankolé. Cette photo faisait face à l'entretien, dans *Théâtre Public*.

photos que j'ai vues du spectacle, systématiquement un personnage est net et l'autre flou ; c'est assez drôle. Si la mise au point était faite sur le personnage du fond, on verrait quelqu'un et on en déduirait qu'il s'agit d'un dialogue. La silhouette devant, même floue, en deviendrait identifiable. Une photo, j'ai envie qu'elle me représente quelque chose, pas seulement des formes. Au cinéma, je suis sensible à l'ombre et à la lumière ; en photo, je ne suis sensible qu'aux portraits. Sans visage, une photographie ne me raconte rien, c'est une phrase sans verbe ou sans sujet. Je suis tout à fait incapable de porter une appréciation sur cette image. Cela n'a rien à voir avec sa qualité : les choses qui ne me donnent pas d'émotion, je ne sais pas en parler. Je ne peux pas parler de n'importe quoi.

Cette image n'illustre pas vraiment la pièce ; on ne voit que des silhouettes. Un dialogue, ce sont des visages. Un acteur, c'est d'abord un visage. Le visage et le langage sont les marques de reconnaissance d'une personne ; on reconnaît quelqu'un à sa voix ou à sa gueule. Le théâtre est déjà abstrait en soi, comme n'importe quelle fiction, alors on ne doit y parler que de choses très concrètes, que l'on connaît et que l'on reconnaît. Dans ce spectacle, tout le concret devrait être dans ce qu'ils se disent, dans la manière dont ils se déplacent, dans la manière dont ils se regardent ou ne se regardent pas. Le fait que ce dialogue existe tient à des petits riens : l'un est blanc, l'autre noir, l'un est plus massif, l'autre plus soucieux de son apparence.

Je trouve que les lumières de Delannoy[2], dans ce spectacle, étaient d'une très grande beauté. Au tout

---

2. Éclairagiste de la mise en scène de Patrice Chéreau.

début, l'arrivée du dealer dans la lumière blanche, tout seul, menaçant, brutal, c'est une photo que j'aurais aimé voir ; mais je ne sais pas si elle a même été prise.

De toute façon, il faut choisir entre le plaisir de voir les choses ou de les photographier ; moi, je préfère le premier.

Théâtre Public, juillet-octobre 1987

ENTRETIEN AVEC GILLES COSTAZ

Bernard-Marie Koltès habite Montmartre. Il n'a plus la passion des voyages qui l'habitait il y a quelques années (« Aller dans le tiers-monde pour se donner bonne conscience, plus jamais », dit-il). Aux questions, il répond rapidement, le sourire aux lèvres, comme si parler de soi-même n'était qu'un amusement, un moment de plus où il ne faut pas se prendre au sérieux. L'entretien s'achève de lui même : c'est l'heure des actualités télévisées. Bernard-Marie Koltès appuie sur la télécommande. L'actualité, c'est sa nourriture. D'ailleurs, sa prochaine pièce devrait s'inspirer du personnage du meurtrier italien Roberto Succo qui, âgé de vingt-six ans, s'est donné la mort dans la prison de Vincence [1] le 23 mai dernier.

Vous dites volontiers : Je n'ai jamais écrit quelque chose qui soit à prendre au sérieux. Est-ce que Le Retour au désert *est à prendre encore moins au sérieux ?*

C'est aussi à ne pas prendre au sérieux. Mais je pense surtout que, là, j'arrive mieux à faire comprendre qu'il ne faut pas prendre ma pièce au sérieux. Avant, il me semblait évident que j'étais ironique, mais on ne le voyait pas, cela devenait pénible. Main-

---

1. Dans la banlieue de Venise.

tenant, avec *Le Retour au désert*, il est impossible de faire quelque chose de tragique.

Tout le monde attend la création avec impatience. Autour de l'affiche Maillan-Piccoli-Chéreau-Koltès, il y a comme une hystérie. Comment le ressentez-vous ?

Non, je ne sens pas d'hystérie. Je ne fréquente personne. Mais j'ai de grands accès de trac. C'est un truc très risqué pour tout le monde, mais c'est Jacqueline Maillan et moi qui prenons le plus de risques. Piccoli, il en a vu d'autres. Chéreau aussi. Mais, de Maillan, on va dire qu'elle fait du théâtre intello et de moi que je suis passé au boulevard. Je suis loin de croire que c'est gagné, parce que j'ai l'expérience de l'échec de *Quai ouest* et parce que ce n'est jamais gagné. C'est moins gagné que Maillan dans *Lily et Lili* ou qu'une pièce Piccoli-Chéreau.

Vous avez écrit Le Retour au désert *pour Jacqueline Maillan ?*

Jacqueline Maillan a été le coup d'envoi. Au départ, il y a eu dix mille projets. Il a été question du Zénith avec des stars, puis de l'ouverture du festival d'Avignon. Des producteurs appelaient. Ce n'était pas possible. J'ai craqué. J'ai dit que je n'écrivais plus. Avignon, c'était une sottise. Il ne faut pas faire de création à Avignon. C'est déjà difficile de faire avaler une grande pièce classique à tant de personnes. Moi, j'écris pour une salle de huit cents personnes – ce qui est déjà un maximum.

Je n'écris pas des spectacles, j'écris des pièces. Cette expérience me l'aura appris.

Finalement, c'est Maillan qui m'a décidé. Je l'ai vue dans *Lily et Lili,* de Barillet et Grédy, et je suis allé lui dire : j'écris un rôle pour vous, que vous le vouliez ou non. Avec elle, on peut tout faire, jusqu'à lui faire dire des choses tragiques. Son agent m'a appelé. Nous nous sommes vus. J'ai rencontré régulièrement Jacqueline Maillan. Nous prenions le thé, nous ne parlions de rien. Elle s'intéressait vraiment au projet, mais je ne savais rien dire. Elle a été d'une patience infinie. C'était génial. Il y a très peu de gens avec qui l'on peut agir ainsi. Je ne racontais rien, elle ne s'énervait pas.

Puis l'histoire est venue, celle d'une « maudite » à l'intérieur d'une famille, qui fait des bébés on ne sait comment, qui fait fugue sur fugue. Elle revient d'une fugue en Algérie, avec ses enfants, pour revendiquer son héritage auprès de son frère qui gère les biens familiaux. Le frère, c'est Michel Piccoli. Lui aussi a été très rapidement associé au projet. Patrice n'avait pas été très difficile à convaincre. Je l'avais emmené voir *Lily et Lili* un autre soir.

Nous nous sommes vus tous les quatre, assez souvent. La pièce terminée, ils ont eu l'air agréablement surpris. Maintenant, je les laisse répéter. Je vais à la première lecture, puis, de temps en temps, aux répétitions ; mais je préfère parler aux acteurs en dehors des répétitions.

Vous ne vous désintéressez pas de votre pièce ?

Non. Mais je pense à tout autre chose parce que je suis dans une autre pièce [2]. Mais j'ai déjà éprouvé un

---

2. Il s'agit de *Roberto Zucco*.

plaisir incroyable à entendre Jacqueline Maillan lire la pièce autour d'une table. C'est une aventure qui vaut le coup. Maillan, depuis très longtemps, n'a pas travaillé avec un vrai metteur en scène, sur un texte auquel elle ne touche pas. Comme tous les grands, elle se montre d'une classe incroyable. Elle ne m'a jamais dit : pouvez-vous couper, rallonger ? Je ne l'aurais pas fait, mais cela ne l'a pas effleurée.

Vous avez choisi les autres acteurs avec Chéreau ?

Pour les autres acteurs, quand il s'agit d'adultes, Patrice ne se trompe jamais. Sur eux, nous avons absolument les mêmes idées.

Vous avez dit parfois que Patrice Chéreau pouvait passer à côté de l'humour de vos pièces.

Quand c'est ouvertement drôle, Patrice sait très bien mettre en scène. Il ne sait pas tourner à la rigo-lade ce qui est d'un humour moins évident. Mais ce n'est pas seulement Patrice qui manque d'humour, c'est le public. Patrice sait monter une comédie qui s'affiche comme une comédie. Aux premières lectu-res, il remplaçait les comédiens absents et il le faisait très bien.

Cette fois, ce n'est plus Nanterre, mais le Théâtre Renaud-Barrault, au Rond-Point.

Ah, oui, le Rond-Point ! Je n'en pouvais plus de la banlieue. La distance, les navettes... C'est là que tout a commencé. J'ai bien aimé Nanterre. Mais j'espère que je ne serai plus jamais joué en banlieue !

Et puis, c'est le système privé. C'est la pure justice ou, plutôt, c'est la plus juste des injustices. Si ça ne marche pas, on arrête. Si ça marche, on prolonge, chacun est content. Dans le subventionné, on fait parfois survivre des choses dont les gens ne veulent pas.

Vous êtes passé, rapidement, au festival d'Avignon. Vous avez vu Patrice Chéreau reprenant le rôle tenu par Isaach de Bankolé dans Dans la solitude des champs de coton.

Je ne veux pas en parler. Mais j'ai vu *Hamlet* [3]. Un choc pareil, je n'en avais pas ressenti depuis *La Dispute* montée par Chéreau. Plus loin, ç'avait été l'émotion de Maria Casarès dans *Médée* en 1972. Cela fait un choc de théâtre tous les dix ans, alors qu'au cinéma j'ai un paquet de chocs chaque année. Je ne dois pas aimer le théâtre.

Pour *Hamlet*, j'ai eu l'impression de comprendre cette pièce que je n'avais jamais comprise. Quant à Avignon, ça me flanque le cafard. Je viens avec des copains et je repars très vite.

Lisez-vous les pièces des autres auteurs ?

J'en reçois, j'essaie de les lire, je m'emmerde à la troisième page, j'arrête. C'est plus facile que de partir pendant une représentation. Pourquoi m'imposer des contraintes sous prétexte que j'écris du théâtre ? Je suis sûr de ne pas passer à côté de quelque chose. Il vaut mieux lire des choses bien.

3. Mise en scène de Patrice Chéreau, Avignon, juillet 1988.

Au cinéma, cette année a été incroyable. Il y a eu *Rio Zone*[4] qui est un *Quai ouest* réussi. J'en avais les larmes aux yeux. Il y a eu *Engrenages*[5], *Le Ventre de l'architecte*[6], *Bagdad Café*[7]. Cela me met tellement en forme !

La saison passée, vous avez traduit Le Conte d'hiver *de Shakespeare. Ce fut une corvée ou un plaisir ?*

Ce fut une expérience incroyable ; je referai une traduction de Shakespeare pour mon seul plaisir. Ce mec m'a appris la liberté. Il m'a beaucoup libéré par rapport aux règles du théâtre. Quand quinze ans ont passé, quelqu'un vient le dire, et c'est fait : quinze ans ont passé. Le montage des scènes est ahurissant. Shakespeare nous dit aussi qu'il ne faut pas s'emmerder avec les décors. D'ailleurs, Richard Peduzzi avait retrouvé ça : avec des éléments qui bougent et se remplacent, on résout tout. À lire ça, je sautais de joie au plafond. Les classiques français, au contraire, nous foutent dans la merde. Mon aversion pour eux se développe quand je lis Shakespeare.

C'est Lucien Attoun qui a découvert qu'il y avait un auteur nommé Bernard-Marie Koltès ?

Plus exactement, c'est Hubert Gignoux qui m'a fait connaître. Il est à l'origine de l'engrenage. J'avais écrit, à Strasbourg, une adaptation d'un roman de Gorki pour un spectacle qui se donnait dans une

4. Carlos Diegues, 1987.
5. David Mamet, 1987.
6. Peter Greenaway, 1987.
7. Percy Adlon, 1987.

cave et qu'on montait entre copains [8]. Ça a marché. Gignoux est venu. Il m'a dit : entrez à l'école du TNS. Je ne voyais pas ce que je pourrais y faire [9]. Mais Gignoux m'a fait entrer, en m'obtenant une bourse. Je lui dois cela et je ne veux pas qu'on l'oublie.

La deuxième fois, effectivement, c'est Lucien Attoun qui a publié *Combat de nègre et de chiens* chez Stock [10] et qui a donné le livre à Chéreau. Il a eu ce jour-là le doigt de Dieu se posant sur mon livre !

Le reste, ça s'est fait tout seul.

Mais La Nuit juste avant les forêts, *c'était avant. Vous avez été joué au Petit Odéon.*

La Nuit juste avant les forêts a été créée dans le off d'Avignon [11]. C'était joué par Yves Ferry, et il y avait vingt-cinq personnes tous les soirs. Ça s'est su, le texte a circulé. Richard Fontana m'a appelé, Jean-Luc Boutté a fait la mise en scène [12].

Vous écrivez pour le théâtre mais vous donnez l'impression que vous pourriez arrêter brusquement, que le théâtre, ce serait fini pour vous, que vous passeriez définitivement à autre chose.

8. Ça n'était pas une cave mais l'église Saint Nicolas et le Théâtre du Pont-Saint-Martin.

9. C'est en réalité lui-même qui a demandé à plusieurs reprises son admission au TNS.

10. Avec *La Nuit juste avant les forêts* en 1980. C'est bien avant déjà que Hubert Gignoux avait présenté *L'Héritage* à Lucien Attoun qui l'avait diffusé en 1972 dans son émission de France Culture.

11. En juillet 1977, à l'Hôtel des Ventes.

12. Théâtre de l'Odéon, 1981.

Je l'ai cru mais je commence à en douter ! J'ai écrit du théâtre par hasard, mais c'est une grande envie. Quand on arrive à un certain âge, on se dit qu'on ne sait rien faire d'autre. Quand je reste une année sans une idée de pièce, je suis très malheureux.

Il me faut un déclic. Je suis donc resté un an sans écrire. Auparavant, j'étais resté deux ans ainsi. Si je passe un long temps sans un projet d'écriture, je deviens dépressif. Quand j'écris, j'écris. Écrire une pièce me prend un an environ. Les seuls progrès que j'ai faits, c'est, je crois, de savoir raconter une histoire et de comprendre un certain nombre de trucs qui me paniquaient. Quand c'est fini, c'est fini. Je ne retouche pas. Patrice ne demande aucun aménagement. *Quai ouest*, je sais comment je pourrais l'améliorer, mais je n'en ai pas le courage.

Et cette prochaine pièce ?

Le point de départ, c'est l'histoire de Roberto Succo. J'ai vu l'affiche sur lui dans le métro, qui était intelligente, élogieuse. À la télévision, je l'ai vu sur les toits. J'ai tellement compris cette histoire, jusqu'à son suicide en prison.

Et le roman ? Vous en avez écrit un il y a quatre ans : La Fuite à cheval très loin dans la ville.

Je suis décidé à en écrire un autre. Le roman, c'est le top du top. Mais il y a cette idée de pièce qui a surgi et que j'aime bien.

Vous avez eu des projets d'écriture pour le cinéma ?

Je ne rêve plus d'écrire pour le cinéma. Ça m'a passé avec une brutalité ! Mon rêve, c'était de tourner moi-même mon scénario, mais le cinéma, c'est un travail collectif, pour lequel je ne suis pas fait. Je ne supporte déjà pas le monde du théâtre, je ne vais pas me mettre à supporter le monde du cinéma. Être auteur, cela consiste à ne voir personne. C'est une tentation que j'ai pendant des périodes de plus en plus longues.

Mais je pourrais être touche-à-tout au cinéma. Mentalement, ça coûte très cher de travailler. Alors il faut travailler avec quelqu'un avec qui on s'entend. J'ai un projet de touche-à-tout avec Claire Denis, avec qui je m'entends très bien. Peut-être irai-je jusqu'à écrire des dialogues.

Vous êtes très réservé sur les mises en scène qui sont faites de vos pièces à l'étranger. N'êtes-vous pas injuste ?

J'ai adopté une position radicale. Je ne vais pas voir. Je m'intéresse à la première production à Paris. On ne peut pas s'intéresser à ce qu'on a écrit il y a un an et plus. Il y a une pièce pour laquelle je donne automatiquement l'autorisation, c'est *Quai ouest*, parce qu'elle est ratée et parce que je l'aime.

Je fais une exception pour l'Allemagne. J'y vais quelquefois. Ce sont les droits d'auteur en provenance d'Allemagne qui me font vivre. J'aimerais que, là-bas, Peter Stein monte une de mes pièces. J'ai discuté avec lui et cela suffit à me donner cette envie. Toutes mes pièces se sont pas mal montées en Allemagne. Il y a eu notamment une très bonne réalisation à Munich. En Hollande, à Amsterdam, on a bien monté *Le Retour au désert* (dont c'était la création), m'a-t-on dit. Pourtant le metteur en scène, qui était venu me voir, m'avait paru odieux. Il me posait des questions stupides du genre : pourquoi écrivez-vous du théâtre ?

Je ne suis pas joué aux États-Unis mais je n'en ai pas envie. Je suis un fanatique de leur cinéma mais, pour le reste, ils ne sont pas bons. Mais j'ai très envie d'être joué en Angleterre. Pourquoi ne suis-je pas joué dans un grand théâtre à Londres ? Peut-être parce que les traductions ne sont pas encore assez bonnes. J'aimerais être joué là-bas, je suis un Européen jusqu'au bout des ongles.

Pourquoi, en France, ne travaillez-vous qu'avec Patrice Chéreau ? N'êtes-vous pas tenté de collaborer avec un autre metteur en scène ?

Il n'y a pas un metteur en scène français qui me propose quelque chose. Pas un. Jamais. Je donnerai volontiers les droits. Je les crois incroyablement timorés. Patrice dit la même chose : montez-le !, leur dit-il. Mais ce sont des trouillards. C'est incroyable que, dans mon pays, je sois monté une fois, et terminé. On monte parfois *La Nuit juste avant les forêts* parce que, dans l'esprit de beaucoup, ce n'est pas une vraie pièce. Ce sont des acteurs qui la montent. Ils sont plus courageux que les metteurs en scène.

Acteurs, 3ᵉ trimestre 1988

DEUXIÈME ENTRETIEN
AVEC COLETTE GODARD

Le Retour au désert est la première pièce dans laquelle j'ai voulu que le comique prédomine. Une comédie sur un sujet qui n'est peut-être pas tout à fait – ou seulement – un sujet de comédie : mais on n'est pas obligé de se soumettre aux règles du genre. La province française – que j'ai bien connue, – les histoires de famille, d'héritage, d'enfants illégitimes, d'argent, sont des sujets en or pour faire rire ; la présence lointaine, diffuse, déformée, de la guerre d'Algérie l'est beaucoup moins. J'ai voulu mélanger les deux, faire rire et, en même temps, inquiéter un peu.

L'égocentrisme, l'immobilisme, l'arrogance et, souvent, la méchanceté des Occidentaux en général, des Français en particulier, et de la province surtout, sont à la fois drôles et pas drôles du tout. Voilà ce que j'ai voulu raconter.

Jacqueline Maillan et Michel Piccoli sont au cœur de cette tentative. Capables de tenir, sans doute, le point d'équilibre entre la satire et l'horreur de ce que la satire décrit. J'essaie de faire ressentir au public ce que l'on éprouve lorsqu'on lit Flaubert, *Bouvard et Pécuchet* ; ou le *Dictionnaire des idées reçues*. On verra bien si c'est possible au théâtre.

Je crois aussi avoir changé de style. Peut-être parce que je prends davantage de plaisir à écrire, maintenant, ce qui n'était pas toujours le cas autrefois. Alors j'écris plus vite, j'écris la pièce d'un bout à l'autre, je sais dès le début à peu près où je vais, et puis, ensuite, je travaille le corps du texte. C'est très agréable d'avoir du plaisir à écrire et non pas seulement d'en ressentir la nécessité.

*

Aujourd'hui, j'écris une pièce tout à fait différente. En février de cette année, j'ai vu, placardé dans le métro, l'avis de recherche de l'assassin d'un policier. J'étais fasciné par la photo du visage. Quelque temps après, je vois à la télévision le même garçon qui, à peine emprisonné, s'échappait des mains de ses gardiens, montait sur le toit de la prison et défiait le monde.

Alors, je me suis très sérieusement intéressé à l'histoire. Son nom était Roberto Succo ; il avait tué ses parents à l'âge de quinze ans, puis redevenu « raisonnable » jusqu'à vingt-cinq ans, brusquement il déraille une nouvelle fois, tue un policier, fait une cavale de plusieurs mois, avec prise d'otages, meurtres, disparitions dans la nature, sans que personne ne sache qui c'était exactement.

Puis, après son spectacle sur les toits, il est enfermé à l'hôpital psychiatrique et se suicide de la même manière qu'il avait tué son père. Un trajet invraisemblable, un personnage mythique, un héros comme Samson ou Goliath, monstres de force, abattus finalement par un caillou ou par une femme ; c'est la première fois que je m'inspire de ce qu'on appelle un fait divers, mais celui-là, ce n'est pas un fait divers.

Peut-être que le plaisir d'écrire que je viens de découvrir provient de la traduction du *Conte d'hiver*, de Shakespeare. Et sans doute l'absence de plaisir d'autrefois venait-elle d'avoir lu et écouté les classiques français. Il n'y a pas, chez Shakespeare, de lois d'unité, ni pour le lieu, ni pour le temps, ni pour l'action. Tout cela est au pluriel, chez lui, et en toute liberté. Je crois que la cohérence d'une pièce se trouve ailleurs. Dans l'écriture, en tous les cas.

Le Monde, 28 septembre 1988

ENTRETIEN
AVEC BERTRAND DE SAINT-VINCENT

Je ne ferai pas l'éloge des colonies, ce n'est pas un sujet pour moi. Le système colonial ne m'a jamais fait rêver, il me révulse, m'écœure.

La grandeur d'un pays est une sottise infernale. Ne peut exister que la grandeur d'un destin, et encore faut-il savoir que tous les grands hommes sont des monstres.

Je parlerai des choses qui ne sont pas aussi simples qu'elles paraissent. Il semble évident qu'un Africain doive aspirer à l'indépendance de son pays. Et pourtant, on peut imaginer chez certains Noirs une nostalgie de l'époque coloniale.

« J'ai la nostalgie de la douceur des lampes à huile, de la splendeur de la marine à voile. J'ai la nostalgie des vérandas et du cri des crapauds-buffles, de l'époque des longues soirées où, dans les domaines, chacun à sa place s'allongeait dans le hamac », s'écrie un soldat noir dans *Le Retour au désert*. Si on ne peut chanter les louanges de la période coloniale, on ne peut nier qu'il demeure chez certains Africains un regret latent de ces temps paisibles, où tout était ordonné, où l'administration fonctionnait bien, où les choses avaient leur place.

Vous ne pouvez pas demander aux vieux qui ont vécu l'ère coloniale, puis les errements révolutionnaires sous tant de régimes africains, de déclarer la révolution sublime. Regardez les Antillais aujourd'hui, ils sont maintenus dans une situation de colonisés et ils sont heureux. Ils ne veulent pas en changer. Et je les comprends. Pourquoi se lancer dans des expériences à la jamaïcaine et plonger dans la misère absolue pour des idéaux qui n'ont plus de sens ?

Mais ce qui m'importe, au-delà de la colonisation, c'est la manière dont elle illustre le ballottement de l'homme par l'Histoire. Un jour on apprend au Noir qu'il doit aimer la France, de Dunkerque à Brazzaville. Le lendemain, il n'est plus Français. « On me dit que les frontières bougent comme la crête des vagues », s'interroge mon soldat. « Mais meurt-on pour le mouvement des vagues ? On me dit qu'une nation existe et puis n'existe plus, qu'un homme trouve sa place et puis la perd »... La décolonisation est une fatalité historique qui a bousculé les habitudes sans égards.

L'Histoire est ainsi, qui fait son affaire, en solitaire. L'homme est dedans, comme un bouchon sur l'eau, et se laisse porter parce qu'il est bien obligé. L'Histoire ne tourne jamais au profit de l'être humain. Elle avance, elle commande, elle donne les ordres, par saccades, par secousses. « L'Histoire, grosse vache assoupie, quand elle finit de ruminer, tape du pied avec impatience. » Et elle laisse derrière elle des nostalgies qui ne sont pas toujours celles que l'on croit.

Le Quotidien de Paris, 18 octobre 1988

ENTRETIEN AVEC MATTHIAS MATUSSEK ET NIKOLAUS VON FESTENBERG [1]

Monsieur Koltès, vous embarrassez les critiques. Avec votre pièce, vous êtes considéré, à Hambourg, comme l'auteur d'un opéra parlé sophistiqué ; à Paris, comme l'auteur d'une pièce de boulevard.

Ma pièce [2] est une comédie, mais son sujet n'est pas un sujet de boulevard. Vous savez que les pièces de boulevard parlent toujours d'épouses trahies ou de maris trompés. Ce n'est pas le cas ici. Les sujets propres au boulevard ne m'intéressent pas. C'est un genre que je ne connais absolument pas.

Mais en écrivant la pièce, vous pensiez à une actrice de boulevard ?

Oui, j'ai écrit cette pièce pour Jacqueline Maillan.

Il y a des metteurs en scène qui s'arrogent le droit de lire vos textes autrement : c'est ce qu'a fait Alexander Lang en montant votre pièce au Théâtre Thalia à Hambourg. Avez-vous vu cette mise en scène de Hambourg ?

---

1. Entretien réalisé à Paris pour *Der Spiegel* (Hambourg), retraduit de l'allemand par Patricia Duquenet-Krämer.
2. *Le Retour au désert*.

Non, mais entre-temps, j'ai appris comment les choses s'étaient passées là-bas, et j'ai décidé, une fois pour toutes, de ne plus jamais céder mes droits à l'étranger, sauf s'il s'agit d'un projet précis, ayant fait l'objet d'un accord préalable. Mais céder les droits, comme ça, c'est une chose que je ne ferai plus jamais. J'ai écrit au dramaturge du Théâtre Thalia pour lui dire qu'on avait fabriqué, là, un spectacle que je ne reconnaissais pas comme étant ma pièce. Car enfin, il ne faut pas oublier que lorsqu'une pièce est créée à l'étranger, la tâche du metteur en scène et des dramaturges consiste à la donner telle qu'elle a été écrite.

Qu'est-ce qui n'allait pas à Hambourg ?

Le rôle du grand parachutiste noir.

Dans la mise en scène de Lang, il était joué par un acteur blanc.

Mais cela aurait dû être un grand homme noir ! Et dans ce spectacle, les Arabes étaient joués par des acteurs allemands portant, tout bonnement, de ridicules turbans. Je trouve cela horriblement vulgaire.

La mise en scène de Hambourg voulait peut-être éviter tout ce qui aurait pu donner lieu à des interprétations racistes. L'Allemagne n'a pas la même histoire que la France.

Non, là on n'y est pas du tout. Les pièces de Tchekhov ont été représentées avec des samovars, et les pièces de Shakespeare, qui datent de l'époque élisabéthaine, ont été présentées dans un cadre élisabéthain. Pourquoi n'est-il pas possible en Allemagne de représenter mes pièces françaises dans un cadre français ? Le public n'est quand même pas idiot : il comprend ce genre de choses. Il faut que mes personnages soient habillés comme des Français en 1960. Je n'écris pas pour traiter les problèmes de ce monde. Si on monte mes pièces en Allemagne, qu'elles ne servent pas, tout à coup, à traiter des problèmes allemands. Sinon, qu'on s'abstienne de les monter.

Mais tout travail de mise en scène suppose une interprétation, c'est donc toujours subjectif.

Non, un grand metteur en scène est au service de la pièce, comme Stanislavski le faisait avec Tchekhov, ou Peter Stein, ou encore Chéreau avec mes pièces. Si les metteurs en scène veulent raconter des histoires, alors qu'ils écrivent leurs propres pièces et ne se servent pas pour cela des pièces des autres.

Puisque vous tenez tant à l'exactitude : dans votre pièce, Le Retour au désert, *la fille a des jumeaux et la domestique dit : « Ils sont noirs ». Mais les négrillons viennent eux aussi au monde avec la peau claire : c'est seulement au bout de trois jours qu'elle devient plus foncée.*

(BMK *rit*) Mais vous êtes au théâtre ! C'est le grand pouvoir du théâtre. Vous ne voulez quand même pas qu'on attende trois jours pour pouvoir enfin rire, parce qu'une petite jeune fille blanche a mis au monde des enfants noirs !

Il y a un autre tour de magie dans la pièce : dans le monologue où le fils calcule qu'étant donné la vitesse de rotation de la terre, un petit bon en l'air le transporterait à mille quatre cents kilomètres dans l'espace. Dans la mise en scène[3] à Paris, le fils fait effectivement un saut énorme, et il est transporté jusqu'aux cintres. À Hambourg, il se contentait de faire un petit bon et de disparaître dans les coulisses.

C'est ce que Chéreau a mis en scène qui est dans le texte : le fils disparaît dans les airs ; c'est un des plus vieux trucs de théâtre. Il y a quatre siècles qu'on a cette possibilité, le truc qui consiste à faire tout simplement disparaître les gens dans les airs. Mais à part Patrice Chéreau, aucun metteur en scène ne l'utilise.

Envisagez-vous d'autres démarches contre la mise en scène de Hambourg ?

J'ai demandé à mon agent de faire cesser les représentations, s'il le peut. De toute façon, ceci ne se reproduira plus. À l'étranger, on n'a jamais pu voir mes pièces telles qu'elles sont écrites. Il y a eu des problèmes analogues avec des mises en scène en Hollande, en Suède, en Finlande.

En Allemagne on ne sait pas vraiment jusqu'à quel point vos sentences philosophiques sont à prendre au sérieux, comme, par exemple, celles concernant les relations hommes-femmes, ou le rapport entre homme et animal. S'agit-il de messages, ou d'un matériau ludique

---

3. De Patrice Chéreau.

qui vous sert à montrer que l'être humain ne peut
probablement pas arriver à grand-chose avec le lan-
gage ?

L'être humain n'arrive pas à grand-chose du tout.
Non, jamais il ne me serait venu à l'idée d'imaginer
des messages. Je ne suis pas philosophe. Je ne suis pas
un penseur. Et je n'anime mes pièces d'aucune intention politique. Pour moi, le théâtre n'est par une tri-
bune pour des idées politiques. Il faut prendre cela
dans un sens ironique : tout ce qui est dit sur les hommes, les femmes, sur les animaux, tout cela est de
l'ironie. Le théâtre est un jeu et c'est justement pour
cela qu'il doit être bien fait : parce que c'est un plaisir.

Vos pièces se passent souvent au crépuscule. Dans
Le Retour au désert, *le personnage de Mathilde consi-*
dère le crépuscule comme un « menteur » ; dans la pièce
Dans la solitude des champs de coton, *c'est « l'heure*
à laquelle rien n'est plus obligatoire que la sauvagerie
des êtres les uns envers les autres ». D'où vient votre
prédilection pour le demi-jour ? Vivons-nous dans une
sorte d'univers crépusculaire ?

Je peux vous donner d'abord une explication esthétique. Pour *Dans la solitude des champs de coton*, cela
se passe au crépuscule, parce qu'une telle transaction
ne peut se conclure qu'à ce moment-là. Mais dans ma
dernière pièce, *Le Retour au désert*, il y a beaucoup
de scènes qui se passent au plein soleil de midi ; tout
comme dans *Quai ouest*. On peut sans doute dire que
les choses sont toujours plus belles dans la pénombre,
précisément parce qu'on ne les voit pas bien, qu'on
ne les reconnaît pas vraiment. Ainsi, une plus grande

liberté est laissée à l'imagination. D'un autre côté, je pense que toutes les scènes – les scènes de jour comme les scènes de nuit – n'ont jamais été éclairées suffisamment dans les représentations, – mais il s'agit là de problèmes techniques. Ce sont des scènes où on n'y voit pas assez bien.

Manifestement, l'obscurité qui enveloppe vos pièces conduit les metteurs en scène à trop débrider leur imagination.

Je conjure le public allemand, et les critiques allemands, de croire qu'ils n'ont encore jamais vu mes pièces. Je demande au public allemand, aux critiques, d'attendre qu'un metteur en scène digne de ce nom monte mes pièces. Je ne peux pas accepter des spectacles comme celui de Hambourg, je me sens totalement trahi. Le public et les critiques sont aujourd'hui en train de juger une pièce qui n'a rien à voir avec moi.

Dans vos pièces les gens parlent beaucoup, mais ils ne changent pas. Ils se télescopent ou se croisent à toute allure, comme des comètes suivant leur trajectoire ; leur destin semble tracé d'avance. Vous croyez à une sorte de destin ?

Je crois que c'est un bien grand mot pour mes personnages : destin. Je pense qu'on ne peut parler de cela que lorsqu'il s'agit d'un destin extraordinaire, et moi je décris des gens ordinaires. Il est vrai que mes personnages ne changent pas, ou alors très peu, comme le reste de l'humanité.

Vous êtes très pessimiste.

106

Non, je ne me trouve pas pessimiste. Je ne crois pas en Dieu, mais je suis plutôt optimiste.

Pourtant tout laisse présager que, si l'humanité ne change pas, elle va tout droit au-devant de sa propre extinction.

C'est actuellement ce qui se passe, et cela va toujours plus mal. Ce n'est pas du pessimisme, c'est du réalisme élémentaire. Quand on voit, par exemple, ce qui se passe en Afrique du Sud, où rien n'a changé malgré trente ans de lutte ; ou ce qui se passe au Chili... Ce n'est quand même pas moi qui invente cette fatalité-là.

On a l'impression que, pour vos personnages, le langage est parfois un fardeau. Dans la pièce Dans la solitude des champs de coton, *le client dit : « Mon désir, s'il en est un, si je vous l'exprimais, brûlerait votre visage,... » Les personnages de vos pièces tournent toujours autour de quelque chose que le langage, de toute évidence, ne permet pas de saisir.*

C'est un sujet difficile, car il pose la question de la signification des mots. Naturellement, un mot, en tant que tel, ne produit pas de sens. Pour qu'un sens apparaisse, il faut une accumulation de mots, un rythme, une musique ; la musique produit du sens, mais un mot, tout seul, isolé.... On a besoin de beaucoup de mots pour essayer de cerner un sens et pour le définir plus précisément.

Alors, vous pouvez sans doute imaginer à quel point vos pièces sont difficiles à traduire ?

Oui (*rire*).

Heiner Müller, qui ne parle pas français, a été atta-
qué dans le magazine Theater Heute, *parce que, tra-*
vaillant sur un premier jet de traduction, il a rendu
certains passages de votre pièce Quai ouest, *de façon*
infidèle et, en partie, à contresens.

Je ne peux absolument pas juger cette traduction.
Je ne parle pas un mot d'allemand, mais je suis entiè-
rement sûr de mon fait : cette fois, j'avais donné ma
pièce non pas à un traducteur, mais à un écrivain. Je
pense que c'est une bonne chose qu'Heiner Müller
ait inscrit sa propre langue dans ma pièce. Je trouve
que cette discussion dans *Theater Heute* est complètement inutile. Il s'agit d'un débat intellectuel, et je
crois qu'il est redoutable de parler du sens du mot
au théâtre. Je trouve cela tout simplement superflu et
monstrueux. Il serait bien plus important de parler
de mise en scène.

Vous connaissez Heiner Müller ?

Heiner Müller est un écrivain allemand pour
lequel j'ai beaucoup d'estime. Il est le seul écrivain
avec qui j'aime me promener, avec lequel j'aime
m'entretenir. Je ne le vois pas souvent, mais je l'aime
énormément.

Pourtant il ne parle pas français.

Nous parlons anglais. Nous ne le maîtrisons ni l'un
ni l'autre, et nous nous comprenons quand même
superbement.

Est-ce que Koltès se penche sur la question de la mort ?

Pas du tout. Je trouve que c'est terriblement banal.

Dans vos pièces, on tue et on meurt.

Dans ma prochaine pièce, il y a encore davantage de morts.

De quoi s'agit-il ?

C'est la première fois que j'écris une pièce sur un destin réel : le destin de l'homme dont la photo se trouve au-dessus de mon bureau. Cet homme est un assassin. Jusqu'à l'âge de quinze ans il a été tout à fait normal ; c'est à cet âge-là qu'il a tué son père et sa mère. Ensuite, il a été interné dans un asile d'aliénés, pour être finalement libéré parce qu'il était tout à fait normal. À l'âge de vingt-six ans, récemment, début 1988, il a interrompu les études universitaires qu'il avait commencées entre-temps, et soudain en l'espace de trois mois, il a tué quatre personnes. Au procès, il a été jugé irresponsable, et on l'a envoyé dans un hôpital psychiatrique. Là, il s'est donné la mort, de la même façon qu'il avait tué son père.

Comment ?

Étouffé par un sac en plastique. Cet homme tuait sans aucune raison. Et c'est pour cela que, pour moi, c'est un héros. Il est tout à fait conforme à l'homme de notre siècle, peut-être même aussi à l'homme des siècles précédents. Il est le prototype même de l'assassin qui tue sans raison. Et la manière dont il perpétue

109

ses meurtres, nous fait retrouver les grands mythes, comme par exemple le mythe de Samson et Dalila. Cet assassin qui est au centre de ma nouvelle pièce, a été trahi par une femme, comme Dalila qui coupa les cheveux de Samson, le privant ainsi de sa force.

Qu'est-ce qui vous intéresse dans les figures mythiques ?

Je dirais que, ce qui distingue un homme comme Samson du commun des mortels, ce n'est pas tant une quelconque mission, une quelconque tâche, c'est sa force extraordinaire et le regard admiratif que les autres posent sur lui ; c'est cela qui fait de lui un héros. Autrement qu'à l'ordinaire, et pour la première fois, j'ai vu que la littérature pouvait avoir un sens. J'avais là un homme avec cette force, avec ce destin ; il ne manquait plus que le regard extérieur. Et c'était là le but de ma nouvelle pièce : faire que, pendant quelques mois, la photo et le nom de cet homme figurent sur de grandes affiches. C'est ma raison d'être, ma raison d'écrire.

Vous vous sentez proche de cet homme ?

Oui.

Ainsi, l'auteur serait pour ainsi dire, un assassin qui n'oserait pas passer à l'acte ?

Oui, certainement. Sauf qu'ici, il s'agit d'un assassin sublimé.

Êtes-vous également fasciné par Hitler ?

Hitler ? Non, pas du tout. Il ne faut pas oublier, c'est essentiel, qu'Hitler était détenteur de pouvoir et, rien que pour cela, il m'est totalement étranger : le pouvoir est quelque chose de monstrueux. De plus, Hitler avait des idées, et, idées plus pouvoir, cela donne quelque chose de tout à fait épouvantable. Pour moi, Goliath ou Samson sont des héros, parce qu'ils n'avaient pas de pouvoir, ils n'avaient que leur force physique. C'est exactement le contraire d'Hitler.

Dans votre dernière pièce, vous vous inspirez d'une biographie réelle.

Je ne savais pas grand-chose de cet homme, j'avais quatre articles de journaux. Je n'ai pas fait de recherches. Pour moi, c'est un mythe et cela doit rester un mythe. J'ai ajouté quelques éléments, comme la prise d'otages qui a eu lieu en Allemagne récemment.

Vous avez suivi la prise d'otages de Gladbeck depuis Paris ?

Luc Bondy [4] m'a donné tous les documents.

Qu'est-ce que vous avez utilisé ?

Il y a eu ce moment insensé, où le preneur d'otages a mis son pistolet dans sa bouche en disant : Je n'en ai rien à foutre de ma vie !

---

4. C'est Claude Stratz qui rechercha les articles de *Libération*, et réunit quelques documents sur des prises d'otages qui ont eu lieu à l'époque, particulièrement en Allemagne.

De toute évidence, il devient de plus en plus difficile de faire la distinction entre fiction et réalité. Car, entre-temps, la réalité se donne elle-même des allures de mythe, par le biais de la télévision.

C'est la manière dont le monde a évolué avec la télévision. Mais je n'ai pas envie de parler de cela : c'est un tout autre sujet.

Pour le moment, il n'y a pas de grande chance pour que l'on voie votre nouvelle pièce en Allemagne.

À moins que Peter Stein ne soit prêt à la mettre en scène.

Vous avez confiance en Peter Stein ?

Aveuglément. *Les Trois Sœurs*[5] est un des trois plus beaux spectacles que j'aie jamais vus de ma vie au théâtre. Avant la représentation, je pensais : Comment peut-on encore jouer aujourd'hui une pièce aussi vieille ? Nous vivons tout de même dans un autre monde. Mais ensuite, j'ai compris que c'est exactement cela qu'il fallait faire. On a besoin de ces monuments, de ces choses comme le Louvre, par exemple, où l'on peut voir ce qui est beau. Même s'il y a de moins en moins de gens qui s'intéressent à ce qui est beau, une élite de plus en plus petite. Mais c'est exactement cela qu'il faut faire.

C'est un plaidoyer pour la beauté ?

5. De Anton Tchekhov, que Bernard-Marie Koltès avait vu au Théâtre des Amandiers de Nanterre.

Je crois que la seule morale qu'il nous reste, est la morale de la beauté. Et il ne nous reste justement plus que la beauté de la langue, la beauté en tant que telle. Sans la beauté, la vie ne vaudrait pas la peine d'être vécue. Alors, préservons cette beauté, gardons cette beauté, même s'il lui arrive parfois de n'être pas morale. Mais je crois justement qu'il n'y a pas d'autre morale que la beauté.

Der Spiegel, 24 octobre 1988

ENTRETIEN AVEC MICHEL GENSON [1]

J'étais à Metz en 1960. Mon père était officier, c'est à cette époque-là qu'il est rentré d'Algérie [2]. En plus, le collège Saint-Clément [3] était au cœur du quartier arabe. J'ai vécu l'arrivée du général Massu [4], les explosions des cafés arabes, tout cela de loin, sans opinion, et il ne m'en est resté que des impressions – les opinions, je les ai eues plus tard. J'ai tenu à ne pas écrire une pièce sur la guerre d'Algérie, mais à montrer comment, à douze ans, on peut éprouver des émotions à partir des événements qui se déroulent au dehors. En province, tout cela se passait quand même d'une manière étrange : l'Algérie semblait ne pas exister et pourtant les cafés explosaient et on jetait les Arabes dans les fleuves. Il y avait cette violence-là, à

1. Cet entretien, revu par Bernard-Marie Koltès, a été publié avec un texte intitulé : *Cent ans d'histoire de la famille Serpenoise* que l'auteur avait confié à Michel Genson pour qu'il paraisse simultanément dans le journal de Metz.
2. Depuis plusieurs années en Petite Kabylie, son père avait demandé à revenir en France en 1958 puis, professeur dans des écoles militaires, avait donné sa démission de l'armée en 1960.
3. Collège des jésuites de Metz où Bernard-Marie Koltès suivait sa scolarité.
4. Massu est nommé gouverneur militaire de Metz quand il rentre d'Algérie avec ses parachutistes. Ceux-ci seront à l'origine d'une nuit sanglante dans la ville, et de la création d'un ghetto arabe dans le quartier Saint-Eucaire.

laquelle un enfant est sensible et à laquelle il ne comprend rien. Entre douze et seize ans, les impressions sont décisives ; je crois que c'est là que tout se décide. Tout. Moi, évidemment, en ce qui me concerne, c'est probablement cela qui m'a amené à m'intéresser davantage aux étrangers qu'aux Français. J'ai très vite compris que c'était eux le sang neuf de la France ; que si la France vivait sur le seul sang des Français, cela deviendrait un cauchemar, quelque chose comme la Suisse, la stérilité totale sur le plan artistique et sur tous les plans.

*

Peut-être est-ce la misanthropie de la quarantaine, mais je supporte de moins en moins les Français et les Occidentaux en général. L'arrogance, l'égocentrisme, la sûreté d'eux-mêmes des Français, pas uniquement, d'ailleurs, des Français de province. Mais la province est un peu la caricature de cet esprit français-là. Elle est là, elle ignore les lois de Galilée, elle pense vraiment que le monde tourne autour d'elle, que le soleil tourne autour d'elle. C'est une vieille manie de l'humanité que de penser qu'on en est le centre. La province persiste : mais pas elle seulement.

Je suis stupéfait quand je retrouve des gens que j'ai quittés il y a vingt-cinq ans. Ils sont pareils, on dirait que le monde ne passe pas devant eux, que les événements ne viennent pas jusqu'à eux. En même temps, je ne les méprise pas, parce que c'est quand même la province qui reste la mémoire du peuple. Il y a une espèce de grandeur héroïque, un côté « monuments aux morts », qui me fait la respecter. Je suis scandalisé mais en même temps je me dis que c'est elle qui empêche que le monde explose...

*

Je trouve le monde occidental d'une arrogance terrible... par rapport au reste de la Terre. Les pays d'Europe sont tous plus vaniteux les uns que les autres. Sauf, peut-être, le Portugal. Les Portugais ont toutes les qualités du tiers-monde. Ils sont d'une gentillesse, d'une douceur, ce sont des gens pauvres et en même temps des aristocrates. Je me sens bien avec eux...

Les voyages, c'est très important de les faire pendant une période. Ça remet aussi la France à sa place, mais il y a un moment où il faut s'arrêter. Je ne veux plus remettre les pieds dans le tiers-monde, aller en Afrique, ça devient une souffrance permanente, à me dire constamment : mais qu'est-ce que je fous là ? On y occupe la place odieuse des gens riches, des voyeurs... Je ne veux plus y retourner, j'ai emmagasiné suffisamment d'images pour écrire toute ma vie là-dessus... Alors je vais au Portugal.

*

J'ai eu un coup de foudre pour Jacqueline Maillan, c'est aussi à l'origine de la pièce. J'en ai eu marre du théâtre subventionné, marre d'avoir toujours le même public et des acteurs qui tournent toujours sur eux-mêmes. J'ai eu envie d'écrire des choses drôles, de sortir de tout ça, de me soumettre au jugement du public, et je me suis dit : ça, c'est un coup à faire...

Ça a été un risque inouï, et pour Jacqueline surtout. Elle a été magnifique. Pendant tout le temps où j'ai écrit la pièce, on s'est rencontrés, je ne lui ai rien raconté. On se voyait chez elle, on buvait le thé, je la regardais, on se regardait... La seule chose que je lui ai dite, c'est : « Vous savez, vos deux premières répliques, c'est en arabe... » Elle a réfléchi deux minutes et elle a répondu : « Deux répliques, ce n'est pas assez. À la première, ils ne comprendront pas, à la deuxième ils comprendront que je parle arabe, et à la troisième ils rigoleront. » Et ça, c'est magnifique. C'était impensable dans le milieu théâtral que je fréquentais avant. Je me suis trouvé en face d'une femme qui avait un jugement tout à fait différent sur les pièces, parce qu'elle ne pense qu'au public. Elle m'a appris beaucoup. Je tenais à ce qu'elle « fasse du Maillan », je voulais simplement qu'elle dise autre chose que ce qu'on lui fait dire, mais avec ses moyens à elle, c'est une femme qui a une technique de théâtre grandiose.

*

Je suis optimiste... parce que j'ai lu Galilée [5] *(rire)*. C'est une révélation essentielle, c'est la première chose qu'on devrait apprendre à l'école. Notre place dans le temps, dans l'espace, c'est-à-dire notre nullité. Ça relativise tous les problèmes humains. Le seul problème qui vaille qu'on le prenne au sérieux, c'est la

5. C'est François Regnault qui lui fit connaître Galilée – à la suite de longues discussions sur la rotation de la Terre et sur la différence entre la durée du trajet en avion de Paris à New York et celle du trajet inverse – ; puis la théorie de la relativité restreinte de Einstein.

souffrance physique, celui du tiers-monde, ça, c'est l'essentiel. Mais le reste... Le reste, ce sont des futilités, c'est un luxe, on le fait si on a le temps. C'est très beau, les histoires d'amour, il y en a de très belles, mais on ne les vit que parce qu'on a le temps. Ce qui me plaît dans mon métier, c'est la gratuité. Faire du théâtre est la chose la plus superficielle, la plus inutile au monde, et, du coup, on a envie de la faire à la perfection. La seule autre chose qui aurait un sens, ce serait d'aller en Afrique soigner des gens, mais il faudrait être un saint ; tout le reste n'ayant aucun sens, prenons la chose la plus futile qui soit, le faux, la fiction, et faisons-la parfaitement. C'est là ma grande entente avec Chéreau : ce n'est pas tant sur les mises en scène que sur le fond. Savoir que le théâtre est totalement inutile et qu'à partir de là il faut le faire le plus parfaitement du monde. Je prends un plaisir fou à le faire et à voir le public y prendre du plaisir. Le problème, c'est que la plupart des gens qui font des métiers comme le mien prennent ça très au sérieux, ils pensent que c'est décisif dans l'histoire du monde, et ça c'est terrible.

*

Devenir l'auteur dont on parle, je m'en fous. Je ne connais aucun critique, je me coupe totalement de tout ça. Un auteur travaille seul, donc il peut entretenir une réputation de misanthropie qui aide beaucoup. C'est très facile de se protéger ; quand vous avez refusé trois ou quatre fois des invitations, des interviews et des émissions de télé, à la longue, on vous considère comme inatteignable, et c'est très bien. Je ne peux pas fréquenter les gens du « milieu », je les trouve ennuyeux. Je me rends compte qu'il n'y a que les grands qui sont d'une vraie simplicité. Je m'entends comme un frère avec Piccoli, qui est un homme magnifique. Ensemble, on ne parle jamais de théâtre, on parle de la vie. Mon autre grand amour de théâtre, c'est Casarès, ce sont des gens rares, les meilleurs de tous. Maillan, c'est un autre monde sans doute, c'est un autre langage, mais c'est une femme incroyablement simple, modeste, qui a un beau trac, comme une débutante, toujours. C'est splendide. Quand vous entendez des journalistes parler des grands thèmes de mes pièces... mais je n'ai pas de grands thèmes, qu'ils attendent que j'aie soixante-dix ans et que j'aie fini d'écrire pour parler de ça ! Chaque fois que je commence une pièce, c'est comme si je recommençais à zéro, et heureusement. Et qu'on ne me parle pas de mon style, je n'en sais rien ! Ce sont les personnages qui inventent un style à chaque pièce. Après, c'est de la technique. C'est du travail, d'écrire une pièce, du pur travail, et très peu d'inspiration. Et on peut avoir le même enthousiasme à ce travail que celui d'un éclairagiste qui vient de trouver un effet... Ceux avec lesquels je m'entends le mieux au théâtre, ce sont les techniciens, parce que j'ai l'impression qu'on parle de la même chose. Je me fous de la notion d'œuvre, j'écris des pièces, les unes après les autres pour me faire plaisir et faire plaisir au public. Mon seul critère, c'est que le public les aime aujourd'hui.

Le Républicain Lorrain, 27 octobre 1988

ENTRETIEN AVEC VÉRONIQUE HOTTE

« *Pour moi, dit Bernard-Marie Koltès,* Le Retour au désert *est différente de mes autres pièces autant – mais pas plus – que les autres précisément l'étaient entre elles ». Pourtant il subodore que ce texte – nouvelle étape dans sa collaboration avec Patrice Chéreau – sera accueilli comme un tournant dans son écriture.*

Vos pièces de théâtre sont montées en France essentiellement par Patrice Chéreau, qui s'institue de la sorte metteur en scène naturel de vos textes. À l'étranger, la situation est différente puisqu'il se crée constamment des mises en scène diverses de vos pièces. Quel est votre regard sur cette multiplication de réalisations étrangères ?

Autant je m'applique à être très présent pour le travail qui s'accomplit en France, autant je ne dirige aucun regard sur ce qui se fait à l'étranger. Pourtant, j'ai pour principe d'acquiescer à toutes les propositions avancées et j'accepte tous les projets – ceci, dans la mesure de mes possibilités, car je n'ai aucun critère de jugement, encore, pour ce qui est de la qualité de ces travaux. La traduction est le point essentiel de telles entreprises ; et, en Allemagne par exemple, où l'on joue beaucoup mes pièces, je suis obligé de faire confiance aux agents car je ne parle pas la langue allemande. Les avis, toujours, face à ces réalisations finales, sont exactement partagés : les uns disent « c'est très bien », les autres « c'est pas bien ». Voici pour le premier obstacle dans mes tentatives de cerner les mises en scène à l'étranger. Ensuite s'élève un second problème : ces initiatives sont, pour moi, décevantes.

La déception vient-elle de voir vos textes mis en scène ?

Non, elle existe tout simplement à l'étranger. J'ai eu en France une chance inouïe de rencontrer un metteur en scène avec qui je m'entends ; je peux me mettre d'accord avec lui ou, au contraire, m'opposer à ses vues. À l'étranger, je ne peux suivre toutes les répétitions, par exemple les répétitions allemandes de cinq productions annuelles dans ce pays. Au début, je m'y rendais ; aujourd'hui, cela fait longtemps que j'ai renoncé à toutes ces démarches. Si je vais quelque part, je subis deux ou trois jours d'interviews et, le soir, j'assiste à la représentation de la pièce ; les gens qui m'entourent regardent les moindres de mes réactions face au spectacle – je ne peux supporter cela. En plus, je risque de ne rien comprendre, de m'ennuyer, et ce sont des choses qui ne me plaisent pas. Évidemment, si quelqu'un en qui j'ai confiance m'appelle, je réponds à l'invite. Il est clair que, s'il vient à l'esprit de Peter Stein de monter mes pièces, je me rendrai en Allemagne.

Patrice Chéreau a déjà monté Combat de nègre et de chiens *en 1983,* Quai ouest *en 1985,* Dans la solitude des champs de coton *en 1987 et* Le Retour au désert *en 1988. C'est dire que ce compagnonnage d'un auteur et d'un metteur en scène a déjà fait ses preuves.*

Je suis très heureux de cette collaboration avec Patrice, et en même temps j'aimerais que d'autres metteurs en scène s'intéressent à mes pièces. Patrice est en charge des créations mêmes, car j'ai envie et je préfère que ce soit lui. Le problème est que personne n'essaie de re-monter ces pièces.

Peut-être l'inscription de Patrice Chéreau dans votre travail est-elle si forte que d'autres metteurs en scène éventuels hésitent à s'y confronter ?

Il est vrai que, pour les créations, on s'attache énormément à la première représentation ; le désir est très grand de garder un œil sur les comédiens. Mais en Allemagne il se produit en même temps quatre mises en scène de la même pièce – et c'est bien dommage que cela ne se passe pas en France.

Pourriez-vous définir cette justesse où excelle Patrice Chéreau dans la compréhension de votre écriture ?

Non, cela m'est impossible si ce n'est par des définitions négatives. Avec lui, par exemple, il y a un nombre considérable de problèmes que je ne me pose pas dans le travail ; de même des choses qu'il n'est nul besoin d'expliquer. Quand je rencontre d'autres metteurs en scène à l'étranger, je suis obligé d'éclaircir ce qui me paraît précisément tellement évident et élémentaire. Avec Patrice, l'avantage est que le terrain de recherche est déjà énormément déblayé avant l'aboutissement même de la réflexion. De plus, maintenant, il commence à comprendre mieux encore ce que j'écris ; il travaille plus vite aussi ; il éprouve peut-être plus de plaisir à s'investir dans cette action. J'aime le travail de Patrice, malgré toutes les différences qui peuvent exister avec mon propre travail car nous sommes loin de nous ressembler ; nous ne nous ressemblons même pas du tout. Il monte simplement très bien les pièces que j'écris.

Qu'attendez-vous de la littérature ?

Mon rêve absolu est d'écrire des romans. Mon premier livre publié était un roman. *La Fuite à cheval très loin dans la ville.* Si je n'écris plus de romans, c'est pour la simple raison que je ne peux pas en vivre. Je refuse par ailleurs de faire un quelconque métier, même un métier paralittéraire. J'écris... et je m'en trouve bien, même si c'est dur, même si c'est contraignant ; il en résulte de grands moments de plaisir.

Les contraintes sont-elles plus nombreuses pour les textes de théâtre que pour le roman ?

Oui, les exigences sont importantes au théâtre, et en même temps cette réalité est un avantage. J'ai un souci obsédant qui est de ne pas ennuyer le public, de ne pas me moquer de lui, tandis que, si j'écris un roman, j'ai toujours le recours de me dire que le lecteur peut fermer le livre s'il ne lui plaît pas. Quand il s'agit de pièce, le spectateur paie sa place, s'assoit dans un fauteuil... et je n'aime pas qu'il sorte au milieu de la représentation. Ce n'est pas très délicat pour les acteurs. Moi-même, je ne me comporte pas de cette façon au théâtre, même quand je m'ennuie.

Que ce soit Combat..., Quai ouest, Dans la solitude... *et aussi* La Nuit juste avant les forêts, *tous vos textes jusqu'à présent parlent d'individus marginalisés, ce peuple encore que vilipende Monique dans* Quai ouest, *peuple de « brutes, clochards, malades, miteux, déchets d'êtres humains »...*

Non, je ne pense pas que ce soient des marginalisés que je mets en scène ; ce mot ne veut d'ailleurs plus dire grand-chose, si ce n'est alors que quatre-vingt pour cent de la population est marginalisée. Je ne parle que des êtres que je rencontre, et je ne fréquente pas les lieux souterrains, underground ; j'ai affaire avec des lieux dits normaux, tout simplement. Je remarque que les gens ont une tendance très rapide à définir ces personnages comme marginaux alors qu'ils le sont tout autant que ceux dont ils parlent. Évidemment, je ne raconte peut-être pas d'histoires attendues ou convenues. Qui n'est pas marginal, même chez ceux qu'on dit bourgeois ? *Le Retour au désert*, pour la première fois, est une pièce qui a trait à une famille bourgeoise dont les membres sont tous tordus. Tout le monde est tordu dès qu'on s'y intéresse un peu. Ce n'est pas non plus une question d'âge ; les personnages de mes pièces précédentes ne sont pas plus jeunes que ceux du *Retour...* Il y a des êtres jeunes et des vieux.

La constante pourtant est que tous ces hommes et femmes ont du mal à vivre et se sentent étrangers au

monde « normal ». Dans Quai ouest *encore, Charles*
– le Blanc – dit à Abad – le Noir : « Regarde les autres :
tous ils sont partis, tous ils se font du pognon ailleurs,
autrement. C'est pour cela qu'on ne rêve à rien, mori-
caud : ce n'est ni ta faute, ni la mienne, on est mal nés
et c'est tout. »

Oui, mais tous ne reconnaissent pas cette réalité
ainsi : je ne suis pas le premier à découvrir que tout
un chacun est étranger. Je crois vraiment que ce n'est
pas le sujet de mes pièces.

Peut-on, sans faire de comparaison hâtive, rappro-
cher votre appréhension du monde de celle de Genet
lui-même ? Lui aussi traite de l'être étranger, ou qui
se sent tel – rejeté, écarté par les autres. Dans vos pièces
également sont souvent mis en présence un Noir, un
Arabe aux côtés de Blancs.

Mes rapports avec Genet sont un peu bizarres ; je
me sens d'un autre monde, je ne me sens pas de
familiarité avec le sien. J'éprouve une grande admi-
ration pourtant pour son écriture ; incontestablement,
c'est le seul auteur dramatique contemporain qui
m'intéresse. Ce sont surtout ses romans que j'aime,
car ses pièces sont marquées par le théâtre des
années 50. Quant à la mise en présence des Noirs et
des Arabes dans mes pièces, elle me semble d'une
telle évidence ! J'ai ressenti une très grande peur aux
dernières élections présidentielles. Je me suis dit que
j'irais vivre au Portugal, je ne voulais pas vivre dans
un pays qui ressemble à la Suisse. Le seul sang qui
nous vienne, qui nous nourrisse un peu, c'est le sang
des immigrés. On commence à le reconnaître aujour-

d'hui ; il faut le reconnaître encore davantage. Je peux tout autant parler des Blancs, mais il est vrai que le sang de notre peuple, aujourd'hui, est noir et arabe. Je ne dis pas que cette réalité est définitive ; elle est telle pour la génération dans laquelle nous vivons. Le sang neuf naît de cette présence des Noirs et des Arabes ; il ne naît pas de la France profonde qui est le désert ; là, rien ne vit et, s'il se passe quelque chose, c'est toujours à cause des immigrés. Si on parle de Marseille, par exemple, ce n'est pas aux Blancs de Marseille qu'on fera allusion.

Vous dites aussi que les Blancs ne sont pas tout à fait blancs. Dans Combat... *Léone affirme : « Je ne suis vraiment pas une Blanche, non... je suis déjà tant habituée à être ce qu'il ne faut pas être, il ne me coûte rien d'être nègre par-dessus tout cela. »*

La présence des immigrés est ce qui nous maintient à un niveau intellectuel à peu près correct. Pour moi, la Suisse, c'est le cauchemar absolu.

Cette vision du monde que révèlent vos pièces semble plutôt négative. Pour vous, les relations humaines se réduisent à des notions de commerce, de troc, d'échange uniquement ; il n'existe nulle place pour la tendresse à l'intérieur de ces réseaux.

Je ne pense pas que ce regard sur la vie soit aussi négatif. On ne peut tout de même pas dire que tout va bien ; la France a de drôles de réveils... Et en même temps, je ne suis pas du tout pessimiste. La manière commerciale d'envisager les rapports humains me paraît le plus proche de la réalité ; c'est de cette façon-là que j'ai envie d'en parler en tout cas, où encore je me sens le plus libre. Ce n'est pas non plus que j'ignore l'affectivité ; l'affectivité existe aussi dans le commerce. Par contre, si je ne vois guère de tendresse systématique dans ces relations-là, je rencontre pourtant de l'enthousiasme, des choses comme cela. Je n'écris pas de scènes sentimentales, c'est clair. Je n'ai pas ce souci-là de la tendresse ; c'est quelque chose qui apparaît toute seule, ou qui n'apparaît pas... comme dans la vie. J'essaie de ne pas être banal, certes, mais je suis sûr qu'il y a du sentiment dans mon écriture.

L'angoisse, l'isolement est ce qui vous préoccupe constamment, ne lirait-on que ce titre : Dans la solitude des champs de coton. *Cette inquiétude fondamentale est d'ailleurs souvent mise en valeur par sa situation temporelle et locale : « ... en cette heure, en ce lieu... » est une expression-clé.*

Je me méfie toujours d'aquiescer à ce constat que mes pièces feraient la part belle à un monde d'inquiétude ; je suis effaré quand je lis ensuite que l'ombre, la nuit, le désespoir sont ce que je décris. *Le Retour au désert* est un texte qui se bat contre ces vérités ; je suis certain, en revanche, que l'on m'accusera d'avoir, cette fois-ci, « fait du boulevard » ; mais je m'en moque. D'un autre côté, il est vrai que *Dans la solitude...* se passe de nuit. L'expérience ne s'appuie pourtant pas sur des critères sombres et désespérés ; elle relève plutôt d'une vie fascinante, excitante, mais nocturne. Ces expériences-là n'ont évidemment pas lieu en plein jour sur une plage.

*Le passage du jour à la nuit, ou de la nuit au jour,
est un moment particulièrement stratégique et récur-
rent si on lit l'ensemble de vos pièces. Déjà, dans votre
roman,* La Fuite à cheval..., *vous notiez cette façon de
ressentir « avec crainte et méfiance les heures où
s'échangent le jour et la nuit ».*

Encore une fois, la lumière est essentielle. J'ai le
souvenir de paysages magnifiques et fantastiques, de
places en Amérique latine, par exemple, qui changent
complètement au coucher du soleil. Il ne se crée pas
davantage d'angoisse avant ces instants qu'après ; il
s'agit plutôt d'autre chose. Au théâtre, la lumière est
vitale, et j'aime le travail de Patrice, justement parce
qu'il y attache beaucoup d'importance. Je pense que
l'heure est un repère important ; nous ne sommes pas
pareils le matin et le soir. De toute façon, j'ai une
préférence pour le soir, la nuit, où tout est plus beau,
sans doute parce qu'on distingue moins. Pour *Le
Retour au désert* je me suis bien amusé, car j'ai intro-
duit dans la pièce des scènes de matin, à l'heure du
petit déjeuner. C'est la première fois aussi que j'écris
des scènes « en intérieur ».

*Les lieux que vous donnez à voir, généralement, se
situent bien à l'extérieur, à la périphérie des villes, hors
du centre, dans des hangars, sur les ponts ou sous les
ponts.*

J'ai eu une prédilection pour les lieux bizarres. Je
crois maintenant que ce recours sera moins néces-
saire ; je m'en servirai de moins en moins. Il me semble que tous les lieux, à un moment donné, quels
qu'ils soient, deviennent marginaux. Le milieu urbain,

la ville, sont espaces de marginalité ; ne serait-ce que le métro, par exemple.

Dans La Nuit juste avant les forêts, *vous parlez aussi de la recherche de quelque chose « qui soit comme de l'herbe au milieu de ce fouillis », de ce « bordel », selon votre terme.*

Et pourtant, je ne rêve pas de la campagne ; je ne me vois pas vivre dans une petite ville.

L'odeur de la ville est donc une constante dans vos pièces, mais également l'odeur de l'argent, et les questions de travail. Revenant aux précisions temporelles que vous affectionnez particulièrement, vous vous arrêtez, dans La Nuit... *encore, à cette époque du vendredi soir où l'on sait qu'on ne travaillera pas le lendemain.*

L'argent tiendra une place de plus en plus importante dans ce que j'écrirai ; je ne suis pas le premier à parler d'argent : il n'est qu'à lire Balzac ou bien Marivaux. Je suis incapable de parler politique, car je n'ai pas le sens du pouvoir. Parler d'argent m'intéresse. *Le Retour au désert*, apparemment, ne traitera pas de ce point essentiel. Pour moi, cette pièce est différente des autres autant que les autres, précisément, l'étaient entre elles. Je sens que ce texte sera accueilli comme un tournant dans mon écriture, et certainement pas d'une manière toujours favorable. Simplement, à chaque fois que je commence ou termine une pièce, je ressens une différence. Ce qui est certain pour *Le Retour au désert*, c'est que cela se passe dans une maison, dans un milieu bourgeois, et dans une ville de province ; texte encore situé historiquement puisqu'il s'agit des années soixante environ – précision que je n'apportais jamais auparavant. C'est du désert provincial qu'il s'agit. Pour ce qui est de l'argent et du travail d'une manière générale, j'ai un regard autre. Le travail, au sens vrai du terme, c'est-à-dire envisagé avec les notions de patron, de salaires, etc., est une réalité que je ne connais pas, que je ne veux pas connaître. Évidemment, j'ai besoin d'argent comme tout le monde ; mais je me suis dit que je ne me lèverai jamais le matin pour aller travailler et que je n'aurai pas de patron ; ce sont des choses que j'ai toujours refusées. À présent, je vis de ce que j'écris, ce qui est relativement récent – depuis l'âge de trente-trois ans –, et ce qui veut dire aussi qu'auparavant je ne vivais de rien. Quand je vois des gens de vingt ans qui travaillent, j'éprouve le besoin d'en parler. Si j'ai donc écrit sur le vendredi soir, veille de repos, c'est que j'ai longtemps été incapable d'apprécier ce moment ; je sortais à l'époque tous les soirs, et le vendredi soir était un phénomène qui se passait, auquel j'étais relativement étranger ; c'est pourquoi aussi il me semblait en même temps passionnant, comme un voyeur.

Pour ce qui est de votre écriture même, on peut remarquer la place non négligeable que vous donnez à la parole chez vos personnages de théâtre qui tentent, de la sorte, de tout expliquer et expliciter de ce qu'ils pensent ou sentent. L'expression qui revient souvent à leurs lèvres est, par exemple : « Je me dis... »

Je ne pense pas que cela soit si notable ; le reproche que l'on me fait souvent, au contraire, est d'être trop elliptique. Mais effectivement, mes personnages parlent beaucoup ; le langage est pour moi l'instrument du théâtre ; c'est à peu près l'unique moyen dont on dispose : il faut s'en servir au maximum.

Et la situation est toujours la même : quelqu'un qui parle et se parle, et essaie de trouver quelqu'un à qui parler ?

De toute façon, une personne ne parle jamais complètement seule : la langue existe pour et à cause de cela – on parle à quelqu'un, même quand on est seul. Il est évident aussi qu'à partir du moment où on formule, il se passe quelque chose. La parole tient une part considérable dans nos rapports avec les gens ; elle dit beaucoup de choses tout en empruntant bien sûr des chemins de grande complexité : « ça » dit beaucoup de choses encore une fois, surtout quand « ça » ne les dit pas.

Vos personnages sur scène parlent d'eux et de leur désir. Il y a quelque chose de cynique à traiter, comme vous le faites, le désir comme recherche, objet, prix, puis satisfaction ; on retrouve ici l'idée de commerce.

Oui, mais c'est *Dans la solitude des champs de coton* qui expose surtout ce thème de cette façon-là. Ce n'est pas le sujet de toutes mes pièces. Il s'agit plutôt d'une perception à un moment donné. Quant au cynisme, c'est quelque chose dont il ne me déplaît pas de parler. Nous sommes tous très cyniques ; il n'existe pas de bonté absolue, si ce n'est chez les moines ou les ascètes. Peut-être est-ce la seule solution de vie, et ce serait les moines les vrais marginaux.

Les rapports qui lient les êtres entre eux sont cyniques, et empreints d'affectivité : c'est bien ce qui complique tout et permet en même temps d'avoir des sujets d'écriture pour toute une vie. L'intérêt est justement de saisir la variation entre cynisme et affectivité, le jeu des proportions. Rien n'est plus cynique que les films sentimentaux ; je préfère le cynisme qui s'affiche.

Comment estimez-vous le paysage théâtral qui vous entoure aujourd'hui ?

En ce domaine, je ne connais pas grand-chose. J'aime beaucoup Marivaux. Ensuite, plus loin, le théâtre élisabéthain constitue bien sûr un grand patrimoine. Il y a Shakespeare.

Vous avez déjà traduit Shakespeare.

J'ai traduit *Le Conte d'hiver* ; je ne ferais pas de la traduction toute ma vie, évidemment, mais, de temps en temps, ce travail serait source de grand plaisir, une expérience de plus. Je termine actuellement l'écriture d'une pièce ; peut-être me remettrai-je ensuite à traduire Shakespeare, soit *Richard III*, soit *Le Roi Lear*. Pour qui écrit, la traduction est une leçon prodigieuse car dans ce métier on est complètement seul et personne ne vous apprend à écrire ; on n'a pas de juge. Je suis, quant à moi, seul juge jusqu'au bout, je ne montre pas mes manuscrits, jamais. Traduire Shakespeare permet de voir comment cet auteur construisait ses pièces et de quelle liberté il usait : c'est une preuve de luxe pour ce qui est de l'écriture. La traduction, encore, exige un travail sur le mot à mot et ne supporte pas l'approximation ; elle appelle le retour au texte constamment.

Comment venez-vous à l'écriture ?

Je ne peux pas moi-même faire l'analyse de mes textes ; je peux, par contre, vous parler technique. Je peux par exemple vous dire que *Le Retour au désert* est une pièce de bagarre entre un frère et une sœur. *Le Retour...* traite, entre autres choses, d'une bagarre de texte, d'une bagarre verbale que l'on pourrait comparer à une bagarre de rue. Je me suis servi précisément à ce propos d'une querelle dans la rue que j'ai vue à Marrakech ; ce genre de scène déjà prend considérablement appui sur le langage : les copains s'attroupent, s'indignent, agacés, puis tentent en vain des « Arrêtez ! » avant de s'éloigner. Ce sont de telles structures qui me font travailler la manière, encore, dont se fabrique une scène. Une bagarre n'est pas simplement faite d'un poing sur la gueule ; elle suit aussi les trois mouvements logiques de l'introduction, du développement et de la conclusion. C'est cette construction forte et ces rapports forts qui méritent d'être racontés au théâtre, des histoires de vie et de mort. En plus, dans *Le Retour...* encore, il y a une scène qui se passe dans la cuisine, chose que je n'aurais pourtant jamais cru faire un jour. L'écriture en ce cas exige de nous faire pénétrer là où nous ne sommes guère habitués à aller. En même temps, ce monde que je décris est un monde que je connais, puisque j'appartiens à une famille bourgeoise ; je n'avais jamais auparavant éprouvé le désir d'en parler, puis j'en ai eu envie ; et je n'ai pu écrire la pièce qu'à présent. Pour revenir à l'écriture théâtrale d'une manière générale, je dirais qu'il faut aller à l'essentiel très vite, en deux heures, et d'une façon qui soit compréhensible. Le romancier également traite de vie et de mort, mais il peut davantage affiner les choses. Faulkner, par exemple, n'hésite pas à être obscur durant des chapitres et des chapitres, et, dès le moment où on comprend, tout s'éclaire ; c'est cela qui est prodigieux. Au théâtre, on ne peut user de ces façons. Mes personnages n'en sont pas moins passionnés ; ils ont envie de vivre et en sont empêchés ; ce sont des êtres qui cognent contre les murs. Les bagarres justement permettent de voir dans quelles limites on se trouve, par quels obstacles la vie se voit cernée. On est confronté à des obstacles – c'est cela que raconte le théâtre.

Théâtre Public, novembre-décembre 1988

ENTRETIEN AVEC KLAUS GRONAU
ET SABINE SEIFERT

Bernard-Marie Koltès, votre nouvelle pièce, Le Retour au désert, *vient d'être montée à Hambourg et à Paris. Quelles ont été vos raisons pour l'écrire ?*

C'est démarré sur un coup de foudre pour l'actrice, pour Jacqueline Maillan. C'est une actrice qui joue normalement des pièces comiques et bourgeoises. Je ne voulais pas a priori lui faire jouer autre chose. Je voulais me servir de la manière dont elle joue, et faire raconter une autre histoire parce que les histoires de cul bourgeoises ne m'intéressent pas vraiment. Et puis cela tombait à un moment où j'avais quarante ans, et cela m'a assez plu de revenir sur des souvenirs, sur des souvenirs lointains, et de parler d'une ville de province. C'est la mienne, bien sûr.

Pour cette pièce, vous avez donc eu des motifs autobiographiques, et non pas des motifs d'actualité, des raisons politiques ?

Non, non, il n'y a aucune idée politique, je n'ai jamais eu d'idées politiques dans mes pièces. On n'écrit pas des pièces avec des idées, on écrit des pièces avec des gens. Moi, je veux bien faire un pamphlet politique si on veut, mais je ne fais pas de pamphlets politiques dans mes pièces. Je n'ai aucune raison d'écrire une pièce, sauf le fait d'écrire qui est la seule. Mais je démarre mes pièces sur des coups de foudre, que ce soit pour un sujet, que ce soit pour un acteur.

Alors, l'idée d'écrire une comédie, c'est aussi Jacqueline Maillan qui vous l'a donnée ? C'est la première fois que vous utilisez ce genre.

J'ai toujours eu envie d'écrire des comédies. Je crois que mes pièces sont beaucoup plus drôles que la façon dont elles ont été montées. Patrice Chéreau est quand même profondément pessimiste, et je crois que, si on tombait sur un metteur en scène drôle, on pourrait beaucoup plus rire. En Allemagne aussi, d'ailleurs, elles sont montées d'une manière sinistre. Je ne suis pas le premier à qui ce genre d'aventures arrive. Tchekhov s'est battu toute sa vie en disant que ses pièces étaient des comédies, et on les a montées comme des tragédies, et on continue à les monter de cette façon. Moi, j'écris des pièces qui ne sont ni profondes ni tragiques. Elles sont futiles, comme tout le théâtre. J'encourage les metteurs en scène à faire des choses drôles, même avec mes anciennes pièces. Pendant un moment, je me suis dit : je suis un imbécile, je ne sais pas écrire du théâtre comique. Jusqu'au jour où une actrice vous appelle pour vous dire qu'elle s'est fendu la gueule tout le temps, en lisant votre pièce, et là, vous vous dites : et merde ! J'ai passé l'examen, j'ai passé ma licence !

Il me semble que, par rapport à vos autres pièces, vous avez choisi un autre personnel. Avant, c'était des gens qu'on appelle communément des marginaux, alors qu'ici, ce sont plutôt des notables.

Déjà dans *Combat de nègre et de chiens* j'ai montré des Français moyens, des colons, et depuis, je n'ai plus fait de pièce sur des marginaux. Ou alors, le monde entier, ce sont des marginaux. Dans *Quai ouest*, bien sûr, il y a des immigrés, mais enfin j'ai pris comme modèles New York et Barbès, et ce sont quatre-vingt pour cent de la population. Je veux bien qu'on parle de la marge, mais ce sont les gens ordinaires qui sont la marge.

Justement, j'allais vous dire que vos « gens normaux », dans votre dernière pièce, sont beaucoup plus fous que vos marginaux...

Oui, et ça, ce sont les Français moyens. S'il faut parler de marginaux en termes de violence, ce sont eux. Les vrais tarés, les vrais gens bizarres, ce sont les bourgeois de la province. J'ai voulu montrer que c'étaient les autres qu'on ne considère pas comme des marginaux, qui sont des fous, des assassins. Quand on parle de violence dans mes pièces, je dis : « On est entouré de ça. Les conducteurs dans leurs automobiles sont d'une violence, d'une grossièreté, d'une méchanceté ahurissante, ils sont prêts à tuer tout le monde. » Un jour, j'ai eu un incident de plomberie, la flotte a coulé et mon voisin d'en bas est venu me voir. Il rentrait de vacances, il avait voyagé toute la nuit. Il tape à ma porte, à sept heures du matin, comme un fou, il allait enfoncer ma porte. J'ouvre, je vois ce mec en short à fleurs, vraiment l'horreur absolue, une chemise ouverte et tout ça, qui m'a littéralement menacé de mort en disant que sa maison était inondée. Je vous jure, il m'aurait tué, pour son histoire de plomberie. Le Français moyen est dégueulasse.

Vous n'êtes pas tendre avec vos compatriotes...

Oui, je suis très en colère, en ce moment, contre les Français en général, et contre les Français moyens en particulier. Au moment où il y avait le problème Le Pen, je me disais : si Chirac est élu, moi, je pars. Mais les Européens en général, les Occidentaux, sont de vrais monstres. Il n'y a que les Portugais que je trouve absolument magnifiques parce qu'ils ont une noblesse, une aristocratie incroyables. Le Portugal me semble le seul pays au monde, une île comme ça, pour moi, où je me réfugierais. Tout cela ne vous intéresse pas, mais en même temps si, parce que j'ai envie d'en parler, car mes pièces en parlent. Voilà ce qui peut me donner l'idée d'écrire une pièce. Ce sont parfois des colères comme ça.

Une colère, donc, qui se dirige en premier lieu contre les gens de votre pays. Mais vos pièces sont aussi représentées en Allemagne. Après la première représentation du Retour au désert *à Hambourg, un critique allemand a parlé d'une « pièce énigmatique ». Avez-vous voulu écrire une pièce énigmatique ?*

Moi, je crois toujours mes pièces très claires. S'il y a des énigmes, c'est sur la profondeur d'un personnage. Tout le monde est énigmatique, à un moment donné. Alors, quand on raconte un personnage, ce personnage se promène avec ses énigmes, et moi, je ne suis pas là pour les résoudre ; au contraire, je suis là pour les montrer. Mais, le sujet de ma dernière pièce, je ne le trouve pas du tout énigmatique. Enfin, pour les Français ; je ne sais pas comment ça peut fonctionner pour les Allemands ; parce qu'on parle de la guerre d'Algérie, par exemple.

Dans un de vos articles, vous vous êtes prononcé contre les adaptations, contre la démarche de certains metteurs en scène à l'étranger qui ont remplacé vos Noirs ou vos Arabes par des Turcs.

Cela ne me préoccupe plus aujourd'hui. Je suis d'accord si on met des Turcs. Il y a *Combat de nègre*... où je me dis que c'est quand même difficile de ne pas le faire jouer par un Noir, étant donné que cela se passe en Afrique. Dans le cas du parachutiste noir qui apparaît dans *Le Retour au désert*, c'est un simple ressort comique, parce qu'à la fin la bonne vient annoncer que les nouveau-nés sont noirs. Et, en plus, il fait l'éloge du colonialisme. C'est drôle parce qu'il est noir. Sinon, je préfère qu'on coupe la scène.

Pourquoi avez-vous choisi, comme cadre pour votre pièce, les cinq prières quotidiennes de la religion islamique ?

Ce sont des choses que je m'offre à la fin. Tout à coup, je me suis aperçu qu'il y a une structure dans ma pièce, qu'il y a cinq parties. Cela correspond à peu près à l'aube, à midi, aux moments de la journée. Puis il y a la beauté des noms des prières, la beauté du rythme de la journée dans les pays musulmans. Il ne faut pas donner à cela une importance fondamentale. Ce sont des petits plaisirs, mais qui ont de l'importance ici en France, et aussi par rapport aux Arabes.

En ce qui concerne le spectacle de Patrice, par exemple, il y a une chose sur laquelle je n'ai pas l'ombre d'une réserve, c'est la musique, les prières au loin. C'est quelque chose que j'ai entendu quand j'étais môme, parce que mon collège était en plein milieu du quartier arabe. Le fait que Chéreau ait mis de la musique arabe, je suis fou de ça. Et puis il y a aussi la musique de la fin, ce tube de Bardot. Moi, je dirais, il n'y a que lui qui a pu avoir une telle idée. C'est un cadeau qu'il m'a fait parce que je suis un fanatique de Brigitte Bardot. Il m'a fait la surprise à la générale, et j'ai sauté au plafond de plaisir. La bande-son du *Retour au désert*, c'est pour moi la plus belle qu'il ait faite, avec celle de *Combat de nègre*....

Quand vous écrivez une pièce, vous savez déjà que Patrice Chéreau va la monter ?

Non, Patrice Chéreau, c'était un choix que j'ai fait à la fin quand j'avais écrit cette pièce. Je ne le fais pas systématiquement, je ne le fais pas pour la prochaine, par exemple. Je pense que la pièce de moi qu'il a bien montée, c'est *Combat de nègre et de chiens*. Ce n'est pas que je le mette en question, c'est le meilleur pour moi. Mais l'étiquette Koltès-Chéreau est fausse, même si Patrice a monté quatre pièces de moi. D'ailleurs, il est tout à fait d'accord pour ça. Patrice a toujours encouragé les gens à monter mes pièces. Mais, en même temps, cela ne se bouscule pas, les bons metteurs en scène. J'ai très envie que Peter Stein monte une pièce de moi. Je n'ai pas trente-six idées comme ça, j'ai Peter Stein, j'ai Patrice, et j'ai Grüber. Pour le moment, il n'y a que Patrice qui me le demande.

Vous n'avez jamais eu l'idée de faire de la mise en scène vous-même ?

Non, moi, je ne suis pas du tout un homme du plateau [1]. D'habitude, je n'assiste même pas aux répétitions. Je vais vous dire une chose : la mise en scène, on n'en a pas besoin. En ce moment, je suis très en colère contre les metteurs en scène parce que je trouve qu'ils compliquent les choses. J'aime bien un bon metteur en scène qui fait de beaux éclairages, de beaux décors, etc. Mais c'est quand même une espèce de crabe qui s'est posé sur le théâtre qui n'a pas été utile pendant des siècles, et qui ne le sera pas à un moment donné. Le théâtre a besoin des auteurs et des acteurs, c'est tout.

Et Patrice Chéreau est d'accord là-dessus ?

On n'a pas eu vraiment cette discussion. Je m'en suis rendu compte là, c'est tellement plus simple, un rapport direct avec un acteur. On lui dit des choses, et il comprend tout, tout de suite. J'aime de plus en plus les acteurs. Il y en a qui vous foutent un coup, au point de vous donner l'envie d'écrire une pièce pour eux. Il y a de très grands acteurs. J'ai eu Casarès et Maillan, pour le moment. Puis, il y a les Américains. Je vous jure, si De Niro était français, je l'aurais. Ou

---

1. Bernard-Marie Koltès avait mis en scène lui-même ses premières pièces, jusqu'à *La Nuit juste avant les forêts* en 1977. De plus il aimait à être sur le plateau, s'intéressant de près à la technique et aux éclairages.

Brando. Moi, j'ai une grande confiance dans les grands. Mais, en France, qui me reste maintenant, comme acteurs ? J'adore Bardot, c'est mon rêve d'écrire une pièce pour elle. Elle ne le fera jamais. Donc, je ne l'écris pas.

Vous avez situé l'action du Retour au désert *à l'intérieur d'une maison, donc un lieu traditionnel de théâtre. Dans vos autres pièces, on trouve beaucoup d'éléments qui rappellent le cinéma.*

Je n'écris pas de cinéma, je n'écris pas de scénario, et je n'écris pas de dialogue de film. Mes pièces sont faites sur le texte, exclusivement sur le texte. Donc, je ne vois pas pourquoi on parle de cinéma.

Bon, Patrice a mis des voitures sur la scène, ce que je trouve génial. Cela fait évidemment cinéma, mais ça vient du metteur en scène, ce n'est pas moi. Je suis un auteur de texte, et j'ai de plus en plus envie de faire du texte.

Mais vous aimez mieux aller au cinéma qu'au théâtre ?

Ah oui, c'est vrai, je ne supporte pas le théâtre. On s'emmerde au théâtre quatre-vingt-dix-neuf pour cent du temps. Pour que je ne m'y emmerde pas, il faut que je sois saisi par une beauté ravageuse et indiscutable, et combien de fois cela vous arrive dans la vie ? Quitte à aller au théâtre, je préfère aller voir du boulevard. Pourtant je ne vais pas me mettre à écrire des pièces qui se passent dans les salons, avec des potiches et des canapés.

144

Donc, le coup de foudre pour votre prochaine pièce ?

C'est encore cette affiche-là, sur le mur, qui est un avis de recherche pour un assassin. Je l'ai vu dans le métro. Je me suis renseigné sur son histoire, et je l'ai vécue au jour le jour, jusqu'à son suicide. Je trouve que c'est une trajectoire d'un héros antique absolument prodigieuse. Je vais vous raconter l'histoire en quelques mots. C'était un garçon relativement normal, jusqu'à l'âge de quinze ans. À quinze ans, il a tué son père et sa mère, il a été interné. Mais il était tellement normal qu'on l'a libéré, il a même fait des études à l'université. À vingt-six ans, ça a redémarré. Il a tué six personnes, dans l'espace d'un mois, puis deux mois de cavale. Il finit en se suicidant dans l'hôpital psychiatrique, de la même manière qu'il avait tué son père. Cela s'est vraiment passé cette année. Et puis, j'ai eu des hasards fabuleux. Un jour, j'ai ouvert ma télé, et je l'ai vu, il venait d'être arrêté. Il était comme ça, au milieu des gardiens, et puis il y avait un journaliste qui s'est approché de lui et lui a posé des questions idiotes, comme on peut les poser à un criminel. Il répond : « Quand je pense que je pourrais prendre cinq gardiens dans la main et les écraser. Je ne le fais pas, uniquement parce que mon seul rêve, c'est la liberté de courir dans la rue. » Il y a très peu de phrases comme ça de lui, mais je les garde toutes parce qu'elles sont toutes sublimes. Et, une demi-heure après, il avait échappé aux mains de ses gardiens. Sur le toit de la prison, il se déshabillait, et il insultait le monde entier. Cela ne s'invente pas. Imaginez ça au théâtre ? Sur un toit de prison !

Il s'appelait Roberto Succo, et je garde le nom. J'ai voulu le changer parce que je n'ai jamais fait de pièce sur un fait divers, mais je ne peux pas changer ce nom. Et puis après, l'idée m'est venue que le titre de la pièce sera évidemment *Roberto Succo*. Ainsi, j'aurai le plaisir de passer dans la rue et de voir sur les affiches le nom de ce mec.

Mais vous n'essayez pas de parler à des gens qui l'ont connu ?

Non, je ne fais pas d'enquête, je ne veux surtout pas en savoir plus. Ce Roberto Succo a le grand avantage qu'il est mythique. C'est Samson, et en plus abattu par une femme, comme Samson. C'est une femme qui l'a dénoncé. Il y a une photo de lui qui a été prise le jour de son arrestation, où il est d'une beauté fabuleuse. Tout ce qu'il a fait est d'une beauté incroyable.

Die Tageszeitung[2], 25 novembre 1988

---

2. Périodique de Berlin.

ENTRETIEN AVEC EMMANUELLE KLAUSNER
ET BRIGITTE SALINO

Vous faites partie de ces écrivains qui ne s'attardent pas sur leur histoire. Comme si votre biographie était sans importance.

Elle n'a aucun intérêt. C'est la vie la plus banale qui soit, à part ma profession. Je vis des petites choses intéressantes, tout le temps, comme tout le monde. Mais je ne suis pas Joseph Conrad, qui a voyagé à travers le monde, je ne suis pas de ces gens qui ont vécu des expériences décisives pour l'écriture. J'ai eu des expériences décisives, mais elles sont irracontables.

Dans votre nouvelle pièce, Le Retour au désert, *vous parlez de la province. Comment la connaissez-vous ?*

Je l'ai quittée à dix-sept-dix-huit ans, et je n'y ai jamais remis les pieds [1]. Ce sont donc des souvenirs très lointains, et c'est pour ça que j'ai eu envie de faire la pièce.

Et ces souvenirs de la province, c'était quoi ? L'envie de la quitter ?

---

1. Bernard-Marie Koltès quitte Metz, après le bac en 1966, pour Strasbourg, où il vécut quelques années. Toute sa vie il retourne cependant à Metz, où vivait sa mère.

Ah oui ! Et aussi le souvenir de la laideur des choses. C'est là que j'ai vécu le temps de la guerre d'Algérie, de loin, et ne comprenant rien. Après, je me suis rendu compte de ce que ça avait été, et l'importance de la chose m'a semblé énorme.

Vous aviez douze-treize ans au moment de la guerre d'Algérie. Qu'est-ce qui vous en est parvenu ?

J'étais à Metz, mon père était officier, de droite évidemment, et mon collège, qui était un collège bourgeois, était situé en plein cœur du quartier arabe. À Metz, ça a beaucoup chauffé, il y avait une énorme communauté arabe, à cause des aciéries. Quand on allait à l'école, pendant toute la période où les cafés explosaient, on était protégés par les flics.

Et vous ne compreniez rien ?

Rien, sauf que j'avais déjà une tendance à avoir une sympathie pour les Arabes. Avec des copains, on allait en douce dans des cafés algériens, et les Algériens étaient terrorisés quand ils nous voyaient débarquer, évidemment. Ils avaient peur d'avoir des histoires. On faisait de grandes opérations de séduction pour pouvoir rester, on avait un peu l'impression de jouer avec le feu, et en même temps...

Il y avait un fondement politique ?

Pour moi, non. À treize-quatorze ans, on n'a pas d'idées politiques, sauf de réaction. Oui, quand même il y avait ça, parce que les conversations, à table, c'était quelque chose. On avait donc un réflexe, obligatoirement.

Quand vous étiez à Metz et que vous aviez ces sentiments d'ennui et de laideur, qu'est-ce que vous imaginiez d'un ailleurs, Paris par exemple ?

À dix-huit ans, j'ai explosé. Ça a été très vite Strasbourg, très vite Paris, et très vite New York, en 68. Et là, tout d'un coup, la vie m'a sauté à la gueule. Il n'y a donc pas eu d'étapes, je n'ai pas eu le temps de rêver de Paris, j'ai tout de suite rêvé de New York. Et New York en 68, c'était vraiment un autre monde.

Vous êtes allé ailleurs ?

Oui, en Afrique. J'ai suivi toute la côte ouest jusqu'au Nigeria. Mais je n'ai plus trop le désir d'y retourner : je me sens comme un voyeur en train de regarder sombrer un continent. Très vite, en Afrique, on se dit : qu'est-ce que je fous là, au milieu de tant de pauvreté et de tant de générosité ? Je préfère voir les Africains à Paris, vraiment.

Vous avez beaucoup voyagé ?

Oui, je trouve que c'est essentiel, de voyager à la fin des études. On apprend des choses qui servent toute la vie. Si on ne met pas dans la gueule des mecs de 18 ans la place relative qu'on occupe dans le monde, ils passeront leur vie à penser qu'ils sont très importants, et que leur carrière est très importante. Si on l'apprend jeune, on ne l'oublie pas. Moi, à 20 ans, ça a mis tout en doute, et c'est là que j'ai décidé de ne pas travailler. Je me suis dit : qu'est-ce que je vais passer huit heures par jour à travailler pour un patron, amasser un salaire, faire des économies... ça n'a pas de sens. J'ai décidé que je ferai ce que j'avais envie de faire, j'ai mis tout le temps qu'il a fallu. Je me suis débrouillé, j'ai la chance de vivre en Occident, on ne crève pas de faim.

Il y a peu de temps que vous écrivez, par rapport à toute cette période de voyages.

Oui, relativement peu. J'ai commencé à écrivailler en 72 [2], et à écrire vraiment en 77 [3].

Écrivailler, c'était quoi ? Un jeu ?

Tout à fait. C'était un jeu pour des copains qui montaient des pièces dans des caves, pour rigoler. Puis, peu à peu, les choses se sont enchaînées. On m'a proposé une bourse au TNS, j'ai traîné au TNS, j'ai été très encouragé à écrire, j'ai écrit, et j'ai commencé à gagner ma vie très tard, en 83 ; j'avais trente-cinq ans.

Et maintenant, vous vivez de votre écriture ?

Jusqu'à présent, j'avais un salaire équivalent à celui d'un petit cadre de banque – autour de 10 000 francs par mois. Mais là, avec *Le Retour au désert*, c'est tout autre chose. Il y a de l'argent privé dans la production, le prix des places est plus cher que dans le théâtre subventionné et ça se joue longtemps. Je vais toucher

2. 1970, *Les Amertumes*. 1971, *La Marche, Procès ivre*.
3. *La Nuit juste avant les forêts*.

des sommes importantes. Je n'ai pas besoin de tout cet argent. Je vais louer un appartement plus grand (d'ailleurs j'en cherche un dans le quartier Bastille ou République), m'acheter deux ou trois petits trucs, mais au-delà ? Je ne vais pas m'acheter une villa au bord de la mer – qu'est-ce que j'en ferais ? Je ne vais pas m'acheter une maison à Paris, je ne veux pas, et de toute façon, au bout de quelques années dans un même endroit, je m'ennuie. Mais tout cet argent, ça me donne envie d'être très dur en affaires, de plus en plus dur. Parce que je me dis : j'aime autant que le fric aille là où il y en a besoin, plutôt que chez les producteurs.

Vous disiez qu'écrire, au début, c'était un jeu. Et maintenant, toujours un jeu ?

Oui, surtout maintenant. C'est revenu. Il y a eu une période dure, parce que je m'imposais des règles idiotes, des règles du théâtre classique. Vous savez, tout ce que vous apprennent les théoriciens : qu'il faut un motif pour entrer en scène, un motif pour en sortir, qu'il faut respecter le déroulement du temps. Tout ça, c'est faux, et c'est idiot. Quand on traduit Shakespeare, on se rend compte qu'il se fout du temps, il saute quinze années quand il veut, il explique simplement qu'il saute quinze années. Il change de lieu tout le temps, et ses personnages entrent en scène quand ils ont quelque chose à dire, et en sortent quand ils ont fini de le dire. Après *Quai ouest*, où je m'étais laissé piéger par la rigueur, j'ai eu le réflexe de me sentir libre et j'ai retrouvé le plaisir.

Vous avez demandé que Le Retour au désert, *qui est joué en ce moment à Hambourg, soit retiré de l'affiche. Pourquoi ?*

J'ai piqué une crise parce que j'ai appris que les Arabes de la pièce étaient joués par des Allemands – et je ne savais pas, ce que j'ai appris depuis, que c'était avec des turbans dans les cheveux. J'ai dit à mon agent en Allemagne : « Mais enfin, ils auraient pu demander à des Turcs ! » Puis j'ai reçu une lettre du théâtre me disant : « Rassurez-vous, la rumeur qui vous est parvenue comme quoi un Turc jouait dans le spectacle est tout à fait fausse. » Alors là, je me suis senti profondément blessé comme personne, indépendamment de l'auteur. Il y avait aussi d'autres choses qui n'étaient absolument pas respectées, comme la disparition dans les airs d'un personnage. Faire disparaître quelqu'un dans les airs, c'est un vieux truc de théâtre, qui se faisait déjà il y a trois siècles et que n'importe quel homme de théâtre devrait connaître. Au lieu de le faire, on m'envoie à la figure des histoires de métaphore de la mort. Mais on s'en fout, de la métaphore de la mort ! Je m'en fous, moi, de la mort, de toute façon. Alors comment voulez-vous que je parle d'une métaphore de la mort ? C'est une idiotie. On ne fait pas la métaphore d'une chose qui est la négation de tout.

Ce que vous évoquez, c'est tout le problème du pouvoir que s'arrogent parfois les metteurs en scène sur un texte.

Oui, et c'est catastrophique. Pour qui ils se prennent ? C'est une fonction qui a été inventée il y a cent ans, qui sera morte dans cinquante ans, et en attendant ils prennent un pouvoir absolument ahurissant. Je ne parle évidemment pas pour Chéreau, qui est le contraire de ça, comme Peter Stein – ce sont des metteurs en scène qui sont là pour rendre le mieux possible une pièce et qui, du coup, ont des idées sublimes. Ces gens-là servent l'auteur, et l'aident à écrire. Il n'y en a pas des masses. La seule chose indispensable pour qu'une pièce existe, ce sont les acteurs, l'auteur et de bons techniciens. Tout le reste, la plupart du temps, est parasitaire.

Vous avez écrit Le Retour au désert *pour Jacqueline Maillan. Avant, est-ce que vous pensiez à des comédiens quand vous écriviez vos pièces ?*

Casarès. Mon premier choc a été Casarès dans *Médée*. C'est ça qui m'a fait écrire. Elle m'a guidé sans que je la connaisse, elle m'a inspiré des rôles. Elle a joué dans *Quai ouest*, et je m'en mords les doigts, parce que, pour quelqu'un comme elle, il faut écrire un grand rôle sur mesure, une pièce où elle est pratiquement seule. Je vais écrire une pièce pour Casarès, quelque chose que je prendrai dans le livre de Job. J'ai envie d'écrire aussi un rôle pour Roland Bertin et un pour Isaach de Bankolé, qui reste un peu mon acteur fétiche.

La Nuit juste avant les forêts, Dans la solitude des champs de coton, Le Retour au désert... *les titres de vos pièces sont souvent comme des énigmes.*

Oui, pas pour le prochain. Ce sera *Roberto Succo*. C'est sur lui que j'écris en ce moment. Roberto Succo a fait une trajectoire d'étoile filante. J'ai envie que pendant quelques mois, quand on jouera la pièce, on voie sa photo sur les murs, avec son nom. Même si ce n'est pas grand-chose, je me dis que j'aurai au moins eu ce pouvoir : qu'il y ait son nom sur les murs.

D'où vient l'idée d'une pièce sur Roberto Succo ?

Le point de départ, c'est l'affiche de l'avis de recherche. Je l'ai vue dans le métro, et je suis resté devant, j'étais fasciné, je ne sais pas pourquoi. Quelque temps après, moi qui ne regarde jamais la télé, je l'allume pour les informations, et je tombe sur cette scène absolument incroyable où l'on voyait Roberto Succo sur les toits de la prison. Après j'ai récupéré les articles de Libé, et j'ai commencé à travailler à cette histoire, que je trouve exemplaire.

Qu'est-ce qui vous paraît exemplaire ?

À quatorze ans, Roberto a tué son père et sa mère, sans motivation. Il a été interné en hôpital psychiatrique, et il a été tellement sage qu'on l'a relâché. À vingt-quatre ans, ça a déraillé une nouvelle fois, et à nouveau il a tué, sans motif. Quand on l'a arrêté, il était dans la rue, des flics sont arrivés vers lui, ils ne pensaient même pas que c'était Roberto Succo, parce qu'il était en cavale. Ils lui ont dit : « Qui êtes-vous ? » et il a répondu : « Je suis un tueur, mon métier c'est de tuer les gens. » Il a fini par se suicider dans sa cellule de prison, en s'asphyxiant avec un sac plastique – exactement comme il l'avait fait pour tuer son père. Succo a une trajectoire d'une pureté incroyable. Contrairement aux tueurs en puissance – et il y en a beaucoup –, il n'a pas de motivations répugnantes pour le meurtre, qui chez lui est un non-sens. Il suffit d'un petit déraillement, d'une chose qui est un peu comme l'épilepsie chez Dostoïevski : un petit déclenchement, et hop ! c'est fini. C'est ça qui me fascine.

L'Événement du Jeudi, 12 janvier 1989

CET OUVRAGE A ÉTÉ ACHEVÉ D'IMPRIMER LE
VINGT-CINQ NOVEMBRE DEUX MILLE TREIZE DANS LES
ATELIERS DE NORMANDIE ROTO IMPRESSION S.A.S.
À LONRAI (61250) (FRANCE)
N° D'ÉDITEUR : 5558
N° D'IMPRIMEUR : 134418

Dépôt légal : décembre 2013